Collection folio junior

dirigée par
**Jean-Olivier Héron
et Pierre Marchand**

Ā Alice-la-grenouille,

« Je prendrai une décision,
se dit Alice, lorsque la route se
divisera en deux, et que les
poteaux indicateurs montreront
des directions différentes. »

Ceci semblait ne jamais
devoir arriver.

Yra
déc. 1997

Lewis Carroll est le pseudonyme de Charles Lutwidge Dodgson. Pourquoi un pseudonyme ?

M. Dodgson, professeur de mathématiques à l'université d'Oxford, ne voulait reconnaître « aucun rapport entre lui et les livres publiés sous un autre nom que le sien »... c'est-à-dire Lewis Carroll !

Car la vie de Lewis Carroll — appelons-le ainsi — fut partagée entre l'étude des mathématiques (il publia d'importants ouvrages sur la logique symbolique) et la littérature pour les enfants.

D'un côté la rigueur scientifique, de l'autre, un maître de l'humour et de l'imagination, qui font de *Alice au pays des merveilles*, et de sa suite, *De l'autre côté du miroir*, deux chefs-d'œuvre de la littérature pour la jeunesse.

Lewis Carroll est né à Daresbury (Cheshire), en Grande-Bretagne, le 27 janvier 1832, et mort à Guildford (Surrey), le 14 janvier 1898.

Lewis Carroll

Ce qu'Alice trouva de l'autre côté du miroir

Traduit de l'anglais
par Jacques Papy

Illustrations de Sir John Tenniel

Jean-Jacques Pauvert

Au lecteur

Nous nous sommes efforcé, dans les pages qui suivent, d'offrir au public une version aussi exacte que possible des « Aventures d'Alice ». Néanmoins, nous avons dû prendre certaines libertés avec le texte de Lewis Carroll, qui présente deux problèmes particulièrement délicats : celui de la traduction des jeux de mots et celui de l'adaptation des poésies.

Dès l'abord il nous a semblé inopportun de transcrire tels quels (sans en modifier le sens littéral) les passages contenant des jeux de mots. Une telle entreprise aboutit presque toujours à l'incohérence la plus complète, même si l'on a recours à la fatidique N.D.T., suivie de la non moins fatidique mention : « Jeu de mots intraduisible en français. » Il nous a paru préférable (et plus courageux) de chercher, en français, un calembour quelconque qui remplace le jeu de mots anglais, sans nous soucier d'une correspondance rigoureuse impossible à obtenir. A titre documentaire, nous avons donné, dans un appendice, les jeux de mots originaux avec leur traduction intégrale : les passages marqués par des lettres (a, b, c, d, etc.) renvoient à cet appendice.

Par ailleurs, nous nous sommes longtemps demandé s'il convenait de traduire en prose les poésies, en sacrifiant tout à l'exactitude, ou si, au contraire, il valait mieux conserver rimes et rythme au détriment du sens. Finalement, nous avons adopté la seconde solution, en prenant soin de ne jamais nous écarter de l'esprit du texte et de conserver presque toujours la disposition de rimes et de rythmes adoptée par l'auteur. Car, tout bien considéré, si on *enlève la rime à des pièces de vers d'où la raison se trouve exclue, il n'en restera plus que cendres.*

La magistrale version du « Jabberwocky » que nous donnons dans le présent ouvrage est due à la plume de notre ami Henri Parisot : nous ne saurions trop le remercier de nous avoir autorisé à la reproduire.

Mrs. Wilelmine Harrod, d'Oxford, a bien voulu nous communiquer de précieux renseignements qu'elle a découverts à la « Bodleian Library ». Elle nous a, notamment, fait parvenir les textes des poèmes parodiés par Lewis Carroll, dont nous présentons la traduction dans un deuxième appendice à la fin d'« Alice au Pays des Merveilles » (déjà paru dans folio junior, *n° 117). Nous tenons à lui exprimer ici toute notre gratitude pour son obligeance et son inlassable dévouement.*

Jacques Papy.

Les pérégrinations d'Alice à travers le pays « de l'autre côté du miroir » correspondent aux déplacements des pièces et des pions au cours d'une partie d'échecs. Le terrain parcouru est représenté en forme d'échiquier dans l'une des illustrations de Tenniel, et certains personnages sont des rois, des reines et des caraliers.

Le lecteur trouvera ci-après les correspondances entre les divers personnages et les pièces du jeu d'échecs, ainsi que le tableau des différentes phases de la partie qu'Alice joue et gagne.

DRAMATIS PERSONAE

(Présentés dans l'ordre qu'ils occupent avant le début de la partie)

BLANCS
ROUGES

Pièces	Pions	Pièces	Pions
Blanc Bonnet	Pâquerette	*Pâquerette*	Gros Coco
Licorne	Haigha	*Messager*	Charpentier
Brebis	Huître	*Huître*	Morse
Reine Blanche	Lily	*Lis tigré*	Reine Rouge
Roi Blanc	Faon	*Rose*	Roi Rouge
Vieillard	Huître	*Huître*	Corbeau
Cavalier Blanc	Hatta	*Grenouille*	Cavalier Rouge
Bonnet Blanc	Pâquerette	*Pâquerette*	Lion

ROUGES

BLANCS

Le Pion Blanc (Alice) joue et gagne en onze coups

14

Ô belle enfant au front si doux,
   Aux yeux tout imprégnés de rêve !
Malgré la distance entre nous
   Dans cette existence trop brève,
Tu accueilleras en souriant
Ce récit, don d'un cœur aimant.

Jamais je ne t'ai vue ; jamais
    Je n'entendis ta voix ravie ;
Jamais non plus je ne pourrai
    Avoir place en ta jeune vie.
Mais ton cœur, je le sais, pourtant,
Aimera ce conte d'enfant.

Je l'ai commencé autrefois :
    Le clair soleil dardait sa flamme,
Et la cadence de ma voix
    Suivait la cadence des rames...
C'est en vain qu'ont passé les ans,
Ma mémoire défie le temps...

Ecoute, avant qu'ait retenti
    Cet appel ferme et sans réplique
Qui t'invite à gagner ton lit,
    Toute triste et mélancolique !
Nous sommes tous de vieux enfants
Qui se couchent en rechignant.

Dehors c'est la neige et le gel,
    Les rafales de la tempête ;
Mais, dedans, un feu substantiel
    A mis ton jeune cœur en fête.
Fascinée par les mots troublants,
Tu mépriseras l'ouragan.

Même si l'ombre d'un soupir
    Vient à passer sur cette histoire
Quand j'évoque le souvenir
    Des jours d'été nimbés de gloire,
Il n'altérera nullement
L'attrait de ce conte d'enfant.

Chapitre 1
La maison du miroir

Ce qu'il y a de sûr, c'est que la petite chatte blanche n'y fut pour rien : c'est la petite chatte noire qui fut la cause de tout. En effet, il y avait un bon quart d'heure que la chatte blanche se laissait laver la figure par la vieille chatte (et, somme toute, elle supportait cela assez bien) ; de sorte que, voyez-vous, il lui aurait été absolument impossible de tremper dans cette méchante affaire.

Voici comment Dinah s'y prenait pour laver la figure de ses enfants : d'abord, elle maintenait la pauvre bête en lui appuyant une patte sur l'oreille, puis, de l'autre patte, elle lui frottait toute la figure à rebrousse-poil en commençant par le bout du nez.

Or, à ce moment-là, comme je viens de vous le dire, elle était en train de s'escrimer tant qu'elle pouvait sur la chatte blanche qui restait étendue, parfaitement immobile, et essayait de ronronner (sans doute parce qu'elle sentait que c'était pour son bien.)

Mais la toilette de la chatte noire avait été faite au début de l'après-midi ; c'est pourquoi, tandis qu'Alice restait blottie en boule dans un coin du grand fauteuil, toute somnolente et se faisant de vagues discours, la chatte s'en était donné à cœur joie de jouer avec la pelote de grosse laine que la fillette avait essayé d'enrouler, et de la pousser dans tous les sens jusqu'à ce qu'elle fût complètement déroulée ; elle était là, étalée sur la carpette, tout embrouillée, pleine de nœuds, et la chatte, au beau milieu, était en train de courir après sa queue.

« Oh ! comme tu es vilaine ! s'écria Alice, en prenant la chatte dans ses bras et en lui donnant un petit baiser pour bien lui faire comprendre qu'elle était en disgrâce. Vraiment, Dinah aurait dû t'élever un peu mieux que ça ! Oui, Dinah, parfaitement ! tu aurais dû l'élever un peu mieux, et tu le sais bien ! » ajouta-t-elle, en jetant un regard de reproche à la vieille chatte et en parlant de sa voix la plus revêche ; après quoi elle grimpa de nouveau dans le fauteuil en prenant avec elle la chatte et la laine, et elle se remit à enrouler le peloton. Mais elle n'allait pas très vite, car elle n'arrêtait pas de parler, tantôt à la chatte, tantôt à elle-même. Kitty restait bien sagement sur ses genoux, feignant de s'intéresser à l'enroulement du peloton ; de temps en temps, elle tendait une de ses pattes et touchait doucement la laine, comme pour montrer qu'elle aurait été heureuse d'aider Alice si elle l'avait pu.

« Sais-tu quel jour nous serons demain, Kitty ? commença Alice. Tu l'aurais deviné si tu avais été à la fenêtre avec moi tout à l'heure... Mais Dinah était en train de faire ta toilette, c'est pour ça que tu n'as pas pu venir. Je regardais les garçons qui ramassaient du bois pour le feu de joie[1]... et il faut des quantités de bois, Kitty ! Seulement, voilà, il s'est mis à faire si froid et à neiger si fort qu'ils ont été obligés d'y renoncer. Mais ça ne fait rien, Kitty, nous irons admirer le feu de joie demain. » A ce moment, Alice enroula deux ou trois tours de laine autour du cou de Kitty, juste pour voir de quoi elle aurait l'air : il en résulta une légère bousculade au cours de laquelle le peloton tomba sur le plancher, et plusieurs mètres de laine se déroulèrent.

« Figure-toi, Kitty, continua Alice dès qu'elles furent de nouveau confortablement installées, que j'étais si furieuse en pensant à toutes les bêtises que tu as faites aujourd'hui, que j'ai failli ouvrir la fenêtre et te mettre dehors dans la neige ! Tu l'aurais bien mérité, petite coquine chérie ! Qu'as-tu à dire pour ta défense ? Je te prie de ne pas m'interrompre ! ordonna-t-elle en levant un doigt. Je vais te dire tout ce que tu as fait. Premièrement : tu as crié deux fois ce matin pendant que Dinah te lavait la figure. Inutile d'essayer de nier, Kitty, car je t'ai

1. Il s'agit sans doute des feux de joie qu'on allume chaque année, le 5 novembre, et dans lesquels on brûle un mannequin burlesque représentant Guy Fawkes, le célèbre conspirateur qui avait fait le projet de faire sauter le Palais du Parlement, le 5 novembre 1605.

entendue ! Comment ? Qu'est-ce que tu dis ? poursuivit-elle en faisant semblant de croire que Kitty venait de parler. Sa patte t'est entrée dans l'œil ? C'est ta faute, parce que tu avais gardé les yeux ouverts ; si tu les avais tenus bien fermés, ça ne te serait pas arrivé. Je t'en prie, inutile de chercher d'autres excuses ! Ecoute-moi ! Deuxièmement : tu as tiré Perce-Neige en arrière par la queue juste au moment où je venais de mettre une soucoupe de lait devant elle ! Comment ? Tu dis que tu avais soif ? Et comment sais-tu si elle n'avait pas soif, elle aussi ? Enfin, troisièmement : tu as défait mon peloton de laine pendant que je ne te regardais pas !

« Ça fait trois sottises, Kitty, et tu n'as encore été punie pour aucune des trois. Tu sais que je réserve toutes tes punitions pour mercredi en huit... Si on réservait toutes mes punitions à moi, continua-t-elle, plus pour elle-même que pour Kitty, qu'est-ce que ça pourrait bien faire à la fin de l'année ? Je suppose qu'on m'enverrait en prison quand le jour serait venu. Ou bien... voyons... si chaque punition consistait à se passer de dîner : alors, quand ce triste jour serait arrivé, je serais obligée de me passer de cinquante dîners à la fois ! Mais, après tout, ça me serait tout à fait égal ! Je préférerais m'en passer que de les manger !

« Entends-tu la neige contre les vitres, Kitty ? Quel joli petit bruit elle fait ! On dirait qu'il y a quelqu'un dehors qui embrasse la fenêtre tout partout. Je me demande si la neige aime vraiment les champs et les arbres, pour qu'elle les embrasse si doucement ? Après ça, vois-tu, elle les recouvre bien douillettement d'un couvre-pied blanc ; et peut-être qu'elle leur dit : "Dormez, mes chéris, jusqu'à ce que l'été revienne". Et quand l'été revient, Kitty, ils se réveillent, ils s'habillent tout en vert, et ils se mettent à danser... chaque fois que le vent souffle... Oh ! comme c'est joli ! s'écria Alice, en laissant tomber le peloton de laine pour battre des mains. Et je voudrais tellement que ce soit vrai ! Je trouve que les bois ont l'air tout endormis en automne, quand les feuilles deviennent marrons.

« Kitty, sais-tu jouer aux échecs ? Ne souris pas, ma chérie, je parle très sérieusement. Tout à

22

l'heure, pendant que nous étions en train de jouer, tu as suivi la partie comme si tu comprenais : et quand j'ai dit : "Echec !" tu t'es mise à ronronner ! Ma foi, c'était un échec très réussi, et je suis sûre que j'aurais pu gagner si ce méchant Cavalier n'était pas venu se faufiler au milieu de mes pièces. Kitty, ma chérie, faisons semblant... ».

Ici, je voudrais pouvoir vous répéter tout ce qu'Alice avait coutume de dire en commençant par son expression favorite : « Faisons semblant. » Pas plus tard que la veille, elle avait eu une longue discussion avec sa sœur, parce qu'Alice avait commencé à dire : « Faisons semblant d'être des rois et des reines. » Sa sœur, qui aimait beaucoup l'exactitude, avait prétendu que c'était impossible, étant donné qu'elles n'étaient que deux, et Alice avait été finalement obligée de dire : « Eh bien, toi, tu seras l'un d'eux, et moi, je serai tous les autres. » Et un jour, elle avait causé une peur folle à sa vieille gouvernante en lui criant brusquement dans l'oreille : « Je vous en prie, Mademoiselle, faisons semblant que je sois une hyène affamée, et que vous soyez un os ! »

Mais ceci nous écarte un peu trop de ce qu'Alice disait à Kitty. « Faisons semblant que tu sois la Reine Rouge, Kitty ! Vois-tu, je crois que si tu t'asseyais sur ton derrière en te croisant les bras, tu lui ressemblerais tout à fait. Allons, essaie, pour me faire plaisir ! » Là-dessus, Alice prit la Reine Rouge sur la table, et la mit devant Kitty pour lui servir de modèle ; mais cette tentative échoua, surtout, prétendit Alice, parce que Kitty refusait de croiser les bras comme il faut. Pour la punir, Alice

la tint devant le miroir afin de lui montrer comme elle avait l'air boudeur... « Et si tu n'es pas sage tout de suite, ajouta-t-elle, je te fais passer dans la Maison du Miroir. Qu'est-ce que tu dirais de ça ?

« Allons, Kitty, si tu veux bien m'écouter, au lieu de bavarder sans arrêt, je vais te dire tout ce que je pense de la Maison du Miroir. D'abord, il y a la pièce que tu peux voir dans le Miroir... Elle est exactement pareille à notre salon, mais les choses sont en sens inverse. Je peux la voir tout entière

quand je grimpe sur une chaise... tout entière, sauf
la partie qui est juste derrière la cheminée. Oh ! je
meurs d'envie de la voir ! Je voudrais tant savoir
s'ils font du feu en hiver : vois-tu, on n'est jamais
fixé à ce sujet, sauf quand notre feu se met à fumer,
car, alors, la fumée monte aussi dans cette piè-
ce-là... ; mais peut-être qu'ils font semblant, pour
qu'on s'imagine qu'ils allument du feu... Tiens, tu
vois, les livres ressemblent pas mal à nos livres,
mais les mots sont à l'envers ; je le sais bien parce

que j'ai tenu une fois un de nos livres devant le miroir, et, quand on fait ça, ils tiennent aussi un livre dans l'autre pièce.

« Aimerais-tu vivre dans la Maison du Miroir, Kitty ? Je me demande si on te donnerait du lait. Peut-être que le lait du Miroir n'est pas bon à boire... Et maintenant, oh ! Kitty ! maintenant nous arrivons au couloir. On peut tout juste distinguer un petit bout du couloir de la Maison du Miroir quand on laisse la porte de notre salon grande ouverte : ce qu'on aperçoit ressemble beaucoup à notre couloir à nous, mais, vois-tu, peut-être qu'il est tout à fait différent un peu plus loin. Oh ! Kitty ! ce serait merveilleux si on pouvait entrer dans la Maison du Miroir ! Faisons semblant de pouvoir y entrer, d'une façon ou d'une autre. Faisons semblant que le verre soit devenu aussi mou que de la gaze pour que nous puissions passer à travers. Mais, ma parole, voilà qu'il se transforme en une sorte de brouillard ! Ça va être assez facile de passer à travers... »

Pendant qu'elle disait ces mots, elle se trouvait debout sur le dessus de la cheminée, sans trop savoir comment elle était venue là. Et, en vérité, le verre commençait bel et bien à disparaître, exactement comme une brume d'argent brillante.

Un instant plus tard, Alice avait traversé le verre et avait sauté légèrement dans la pièce du Miroir. Avant de faire quoi que ce fût d'autre, elle regarda s'il y avait du feu dans la cheminée, et elle fut ravie de voir qu'il y avait un vrai feu qui flambait aussi fort que celui qu'elle avait laissé derrière elle. « De sorte que j'aurai aussi chaud ici que dans notre salon, pensa Alice ; plus chaud même, parce qu'il n'y aura personne ici pour me gronder si je m'approche du feu. Oh ! comme ce sera drôle, lorsque mes parents me verront à travers le Miroir et qu'ils ne pourront pas m'attraper ! »

Ensuite, s'étant mise à regarder autour d'elle, elle remarqua que tout ce qu'on pouvait voir de la pièce quand on se trouvait dans le salon était très ordinaire et dépourvu d'intérêt, mais que tout le reste était complètement différent. Ainsi, les tableaux accrochés au mur à côté du feu avaient tous l'air d'être vivants, et la pendule qui était sur le dessus de la cheminée (vous savez qu'on n'en voit que le derrière dans le Miroir) avait le visage d'un petit vieux qui regardait Alice en souriant.

« Cette pièce est beaucoup moins bien rangée que l'autre », pensa la fillette, en voyant que plusieurs pièces du jeu d'échecs se trouvaient dans le foyer au milieu des cendres. Mais un instant plus tard, elle poussa un petit cri de surprise et se mit à quatre pattes pour mieux les observer : les pièces du jeu d'échecs se promenaient deux par deux !

« Voici le Roi Rouge et la Reine Rouge, dit Alice (à voix très basse, de peur de les effrayer) ; et voilà le Roi Blanc et la Reine Blanche assis au bord de la pelle à charbon... ; et voilà deux Tours qui s'en vont bras dessus bras dessous... Je ne crois pas qu'ils puissent m'entendre, continua-t-elle, en baissant un peu la tête, et je suis presque certaine qu'ils ne peuvent pas me voir. J'ai l'impression d'être invisible... »

A ce moment, elle entendit un glapissement sur la table, et tourna la tête juste à temps pour voir

l'un des Pions Blancs se renverser et se mettre à gigoter : elle le regarda avec beaucoup de curiosité pour voir ce qui allait se passer.

« C'est la voix de mon enfant ! s'écria la Reine Blanche en passant en trombe devant le Roi qu'elle fit tomber dans les cendres. Ma petite Lily ! Mon trésor ! Mon impériale mignonne ! »

Et elle se mit à grimper comme une folle le long du garde-feu.

« Au diable l'impériale mignonne ! » dit le Roi en frottant son nez tout meurtri. (Il avait le droit d'être un tout petit peu contrarié, car il se trouvait couvert de cendre de la tête aux pieds.)

Alice était fort désireuse de se rendre utile : comme la petite Lily criait tellement qu'elle menaçait d'avoir des convulsions, elle se hâta de prendre la Reine et de la mettre sur la table à côté de sa bruyante petite fille.

La Reine ouvrit la bouche pour reprendre haleine, et s'assit : ce rapide voyage dans les airs lui avait complètement coupé la respiration, et, pendant une ou deux minutes, elle ne put rien faire d'autre que serrer dans ses bras la petite Lily sans dire un mot. Dès qu'elle eut retrouvé son souffle, elle cria au Roi Blanc qui était assis d'un air maussade dans les cendres :

— Faites attention au volcan !

— Quel volcan ? demanda le Roi, en regardant avec inquiétude, comme s'il jugeait que c'était l'endroit le plus propre à contenir un cratère en éruption.

— M'a... fait... sauter... en... l'air, dit la Reine encore toute haletante. Faites bien attention à monter... comme nous faisons d'habitude... ne vous laissez pas projeter en l'air !

Alice regarda le Roi Blanc grimper lentement d'une barre à l'autre, puis elle finit par dire : « Mais tu vas mettre des heures et des heures avant d'arriver à la table, à cette allure ! Ne crois-tu pas qu'il vaut mieux que je t'aide ? » Le Roi ne fit aucune attention à sa question : il était clair qu'il ne pouvait ni la voir ni l'entendre.

Alice le prit très doucement, et le souleva beaucoup plus lentement qu'elle n'avait soulevé la Reine, afin de ne pas lui couper le souffle ; mais, avant de le poser sur la table, elle crut qu'elle ferait aussi bien de l'épousseter un peu, car il était tout couvert de cendre.

Elle raconta par la suite que jamais elle n'avait vu de grimace semblable à celle que fit le Roi lorsqu'il se trouva tenu en l'air et épousseté par des mains invisibles : il était beaucoup trop stupéfait pour crier, mais ses yeux et sa bouche devinrent de plus en plus grands, de plus en plus ronds, et Alice se mit à rire si fort que sa main tremblante faillit le laisser tomber sur le plancher.

« Oh ! je t'en prie, ne fais pas des grimaces pareilles, mon chéri ! » s'écria-t-elle, en oubliant tout à fait que le Roi ne pouvait pas l'entendre.

« Tu me fais rire tellement que c'est tout juste si j'ai la force de te tenir ! Et n'ouvre pas la bouche si grande ! Toute la cendre va y entrer ! Là, je crois que tu es assez propre », ajouta-t-elle, en lui lissant les cheveux. Puis elle le posa très soigneusement sur la table à côté de la Reine.

Le Roi tomba immédiatement sur le dos de tout son long et demeura parfaitement immobile. Alice, un peu alarmée par ce qu'elle avait fait, se mit à tourner dans la pièce pour voir si elle pourrait trouver un peu d'eau  pour la lui jeter au visage, mais elle ne trouva qu'une bouteille d'encre.

Quand elle revint, sa bouteille à la main, elle vit que le Roi avait repris ses sens, et que la Reine et lui parlaient d'une voix terrifiée, si bas qu'elle eut du mal à entendre leurs propos.

Le Roi disait :

— Je vous assure, ma chère amie, que j'en ai été glacé jusqu'à l'extrémité de mes favoris !

Ce à quoi la Reine répliquait :

— Vous n'avez pas de favoris, voyons !

— Jamais, au grand jamais, poursuivit le Roi, je n'oublierai l'horreur de cette minute.

— Oh, que si ! dit la Reine, vous l'oublierez si vous n'en prenez pas note.

Alice regarda avec beaucoup d'intérêt le Roi tirer de sa poche un énorme carnet sur lequel il commença à écrire. Une idée lui vint brusquement à l'esprit : elle s'empara de l'extrémité du crayon qui dépassait un peu l'épaule du Roi, et elle se mit à écrire à sa place.

Le pauvre Roi prit un air intrigué et malheureux, et, pendant quelque temps, il lutta contre son crayon sans mot dire ; mais Alice était trop forte pour qu'il pût lui résister, aussi finit-il par déclarer d'une voix haletante :

— Ma chère amie ! Il faut absolument que je trouve un crayon plus mince que celui-ci ! Je ne peux pas le diriger : il écrit toutes sortes de choses que je n'ai jamais eu l'intention...

— Quelles sortes de choses ? demanda la Reine, en regardant le carnet (sur lequel Alice avait écrit : « *Le Cavalier Blanc est en train de glisser à cheval sur le tisonnier. Il n'est pas très bien en équilibre.* ») Ce n'est certainement pas une note au sujet de ce que vous avez ressenti !

Sur la table, tout près d'Alice, il y avait un livre. Tout en observant le Roi Blanc, (car elle était encore un peu inquiète à son sujet, et se tenait prête à lui jeter de l'encre à la figure au cas où il s'évanouirait de nouveau), elle se mit à tourner les pages pour trouver un passage qu'elle pût lire... « car c'est écrit dans une langue que je ne connais pas », se dit-elle.

Et voici ce qu'elle avait sous les yeux :

JABBERWOCKY

Il était grilheure ; les slictueux toves
Gyraient sur l'alloinde et vriblaient :
Tout flivoreux allaient les borogoves ;
Les verchons fourgus bournifflaient.

Elle se cassa la tête là-dessus pendant un certain temps, puis, brusquement, une idée lumineuse lui vint à l'esprit : « Mais bien sûr ! c'est un livre du Miroir ! Si je le tiens devant un miroir, les mots seront de nouveau comme ils doivent être. »

Et voici le poème qu'elle lut :

JABBERWOCKY

Il était grilheure ; les slictueux toves
Gyraient sur l'alloinde et vriblaient :
Tout flivoreux allaient les borogoves ;
Les verchons fourgus bourniflaient.

« Prends garde au Jabberwock, mon fils !
A sa gueule qui mord, à ses griffes qui happent !
Gare l'oiseau Jubjube, et laisse
En paix le frumieux Bandersnatch ! »

Le jeune homme, ayant pris sa vorpaline épée,
Cherchait longtemps l'ennemi manxiquais...
Puis, arrivé près de l'Arbre Tépé,
Pour réfléchir un instant s'arrêtait.

Or, comme il ruminait de suffêches pensées,
Le Jabberwock, l'œil flamboyant,
Ruginiflant par le bois touffeté,
Arrivait en barigoulant !

Une, deux ! Une, deux ! D'outre en outre,
Le glaive vorpalin virevolte, flac-vlan !
Il terrasse le monstre, et, brandissant sa tête,
Il s'en retourne galomphant.

« Tu as donc tué le Jabberwock !
Dans mes bras, mon fils rayonnois !
O jour frabieux ! Callouh ! Callock ! »
Le vieux glouffait de joie.

Il était grilheure : les slictueux toves
Gyraient sur l'alloinde et vriblaient :
Tout flivoreux allaient les borogoves ;
Les verchons fourgus bourniflaient*.

« Ça a l'air très joli, dit Alice, quand elle eut fini de lire, mais c'est assez difficile à comprendre ! » (Voyez-vous elle ne voulait pas s'avouer qu'elle n'y comprenait absolument rien.) « Ça me remplit la tête de toutes sortes d'idées, mais... mais je ne sais pas exactement quelles sont ces idées ! En tout cas, ce qu'il y a de clair c'est que *quelqu'un* a tué *quelque chose*... »

« Mais, oh ! pensa-t-elle en se levant d'un bond, si je ne me dépêche pas, je vais être obligée de repasser à travers le Miroir avant d'avoir vu à quoi ressemble le reste de la maison. Commençons par le jardin ! »

Elle sortit de la pièce en un moment et descendit l'escalier au pas de course... En fait, on ne pouvait pas dire qu'elle courait, mais plutôt qu'elle avait inventé une nouvelle façon de descendre un escalier « vite et bien » pour employer ses propres termes. Elle se contenta de laisser le bout de ses doigts sur la rampe, et fila vers le bas en flottant dans l'air, sans toucher les marches de ses pieds. Puis, elle traversa le vestibule, toujours en flottant dans l'air, et elle aurait franchi la porte de la même façon si elle ne s'était pas accrochée au montant. Car elle avait un peu le vertige à force de flotter dans l'air, et elle fut tout heureuse de marcher à nouveau d'une manière naturelle.

* Traduction de Henri Parisot.

Chapitre 2
Le jardin
des fleurs vivantes

« Je verrais le jardin beaucoup mieux, se dit Alice, si je pouvais arriver au sommet de cette colline... et voici un sentier qui y mène tout droit... Du moins, non pas tout droit..., ajouta-t-elle après avoir suivi le sentier pendant quelques mètres, et avoir pris plusieurs tournants brusques, mais je suppose qu'il finira bien par y arriver. Quelle façon bizarre de tourner ! On dirait plutôt un tire-bouchon qu'un sentier ! Ah ! cette fois, ce tournant va à la colline, je suppose... Mais non, pas du tout ! il me ramène tout droit à la maison ! Bon, dans ce cas, je vais revenir sur mes pas. »

C'est ce qu'elle fit ; elle marcha de haut en bas et de bas en haut, en essayant un tournant après l'autre, mais, quoi qu'elle pût faire, elle revenait toujours à la maison. Et même, une fois qu'elle avait pris un tournant plus vite que d'habitude, elle se cogna contre la maison avant d'avoir pu s'arrêter.

« Il est inutile d'insister, dit Alice en regardant la maison comme si elle discutait avec elle. Je refuse de rentrer. Je sais que je serais obligée de repasser à travers le Miroir... de revenir dans le salon... et ce serait la fin de mes aventures ! »

Elle tourna résolument le dos à la maison, puis reprit le sentier une fois de plus, bien décidée à aller jusqu'à la colline. Pendant quelques minutes tout marcha bien : mais, au moment précis où elle disait : « Cette fois-ci je suis sûre d'y arriver », le sentier fit un coude brusque et se secoua (du moins c'est ainsi qu'Alice décrivit la chose par la suite), et, un instant plus tard, elle se trouva bel et bien en train de pénétrer dans la maison.

« Oh ! c'est trop fort ! s'écria-t-elle. Jamais je n'ai vu une maison se mettre ainsi sur le chemin des gens ! Non, jamais. »

Cependant, la colline se dressait toujours devant elle ; il n'y avait qu'à recommencer. Cette fois, elle arriva devant un grand parterre de fleurs, entouré d'une bordure de pâquerettes, ombragé par un saule pleureur qui poussait au beau milieu.

— O, Lis Tigré, dit Alice, en s'adressant à un lis qui se balançait avec grâce au souffle du vent, comme je voudrais que tu puisses parler.

— Nous pouvons parler, répondit le Lis Tigré ; du moins, quand il y a quelqu'un qui mérite qu'on lui adresse la parole.

Alice fut tellement surprise qu'elle resta sans rien dire pendant une bonne minute, comme si cette réponse lui avait complètement coupé le souffle. Finalement, comme le Lis Tigré se contentait de continuer à se balancer, elle reprit la parole et demanda d'une voix timide et très basse :

— Est-ce que toutes les fleurs peuvent parler ?

— Aussi bien que toi, dit le Lis Tigré, et beaucoup plus fort que toi.

— Vois-tu, déclara une rose, ce serait très mal élevé de notre part de parler les premières ; je me demandais vraiment si tu allais te décider à dire quelque chose ! Je me disais comme ça : « Elle a l'air d'avoir un peu de bon sens,

quoique son visage ne soit pas très intelligent ! »
Malgré tout, tu as la couleur qu'il faut, et ça, ça
compte beaucoup.

— Je me soucie fort peu de sa couleur, dit le Lis
Tigré. Si seulement ses pétales frisaient un peu
plus, elle serait parfaite.

Alice, qui n'aimait pas être critiquée, se mit à
poser des questions :

— N'avez-vous pas peur quelquefois de rester
plantées ici, sans personne pour s'occuper de vous ?

— Nous avons l'arbre qui est au milieu, répliqua
la Rose. A quoi t'imagines-tu qu'il sert ?

— Mais que pourrait-il faire s'il y avait du danger ? demanda Alice.

— Il pourrait aboyer, répondit la Rose.

— Il fait : « Bouah-bouah ! », s'écria une Pâquerette ; et c'est pour ça qu'on dit qu'il est en bois^a !

— Comment ! tu ne savais pas ça ! s'exclama
une autre Pâquerette.

Et, là-dessus, elles se mirent à crier toutes
ensemble, jusqu'à ce que l'air fût rempli de petites
voix aiguës.

— Silence, tout le monde ! ordonna le Lis Tigré,
en se balançant furieusement dans tous les sens et
en tremblant de colère. Elles savent que je ne peux
pas les atteindre ! ajouta-t-il en haletant et en penchant sa tête frémissante vers Alice ; sans quoi elles
n'oseraient pas agir ainsi !

— Ça ne fait rien ! dit Alice d'un ton apaisant.

Puis, se penchant vers les Pâquerettes qui s'ap-
prêtaient à recommencer, elle murmura :

— Si vous ne vous taisez pas tout de suite, je vais
vous cueillir !

Il y eut un silence immédiat, et plusieurs Pâquerettes roses devinrent toutes blanches.

— Très bien ! s'exclama le Lis Tigré. Les Pâquerettes sont pires que les autres. Quand l'une d'elles commence à parler, elles s'y mettent toutes ensemble, et elles jacassent tellement qu'il y a de quoi vous faire faner !

— Comment se fait-il que vous sachiez toutes parler si bien ? demanda Alice, qui espérait lui rendre sa bonne humeur en lui adressant un compliment. J'ai déjà été dans pas mal de jardins, mais aucune des fleurs qui s'y trouvaient ne savait parler.

— Mets ta main par terre, et tâte le sol, ordonna le Lis Tigré. Tu comprendras pourquoi.

Alice fit ce qu'on lui disait.

— La terre est très dure, dit-elle, mais je ne vois pas ce que ça peut bien faire.

— Dans la plupart des jardins, déclara le Lis Tigré, on prépare des couches trop molles, de sorte que les fleurs dorment tout le temps.

Alice trouva que c'était une excellente raison, et elle fut très contente de l'apprendre.

— Je n'avais jamais pensé à ça ! s'exclama-t-elle.

— A mon avis, fit observer la Rose d'un ton sévère, tu ne penses jamais à rien.

— Je n'ai jamais vu personne qui ait l'air aussi stupide, dit une Violette, si brusquement qu'Alice fit un véritable bond, car la Violette n'avait pas parlé jusqu'alors.

— Veux-tu bien te taire, toi ! s'écria le Lis Tigré. Comme si tu voyais jamais les gens ! Tu gardes toujours la tête sous tes feuilles, et tu te mets à ronfler tant que tu peux, si bien que tu ignores ce qui se passe dans le monde, exactement comme si tu étais un simple bouton !

— Y a-t-il d'autres personnes que moi dans le jardin ? demanda Alice, qui préféra ne pas relever la dernière remarque de la Rose.

— Il y a une fleur qui peut se déplacer comme toi, répondit la Rose. Je me demande comment vous vous y prenez... (« Tu es toujours en train de te demander des choses », fit observer le Lis Tigré)... Mais elle est plus touffue que toi.

— Est-ce qu'elle me ressemble ? demanda Alice vivement, car elle venait de penser : « Il y a une autre petite fille quelque part dans le jardin ! »

— Ma foi, elle a la même forme disgracieuse que toi, répondit la Rose ; mais elle est plus rouge... et j'ai l'impression que ses pétales sont un peu plus courts que les tiens.

— Ses pétales sont très serrés,, presque autant que ceux d'un dahlia, dit le Lis Tigré ; au lieu de retomber n'importe comment, comme les tiens.

— Mais, bien sûr, ça n'est pas ta faute, continua la Rose très gentiment. Vois-tu, c'est parce que tu commences à te faner... A ce moment-là, on ne peut pas empêcher ses pétales d'être un peu en désordre.

Cette idée ne plut pas du tout à Alice, et, pour changer de conversation, elle demanda :

— Est-ce qu'elle vient quelquefois par ici ?

— Je pense que tu ne tarderas pas à la voir, répondit la Rose. Elle appartient à une espèce épineuse.

— Où porte-t-elle ses épines ? demanda Alice, non sans curiosité.

— Autour de la tête, bien sûr, répondit la Rose. Je me demandais pourquoi tu n'en avais pas, toi. Je croyais que c'était la règle.

— La voilà qui arrive ! cria le Pied d'Alouette. J'entends son pas, boum, boum, dans l'allée sablée !

Alice se retourna vivement, et s'aperçut que c'était la Reine Rouge. « Ce qu'elle a grandi ! » s'exclama-t-elle. Elle avait terriblement grandi en effet : lorsqu'Alice l'avait trouvée dans les cendres, elle ne mesurait que sept centimètres... et voilà qu'à présent elle dépassait la fillette d'une demi-tête !

— C'est l'air pur qui fait ça, déclara la Rose ; c'est un air merveilleux qu'on a ici.

— J'ai envie d'aller à sa rencontre, dit Alice.

(Car, bien sûr, les fleurs étaient très intéressantes, mais elle sentait qu'il serait bien plus merveilleux de parler à une vraie Reine.)

— C'est impossible, dit la Rose. Moi, je te conseille de marcher dans l'autre sens.

Alice trouva ce conseil stupide. Elle ne répondit rien, mais se dirigea immédiatement vers la Reine Rouge. A sa grande surprise, elle la perdit de vue en un moment, et se trouva de nouveau en train de pénétrer dans la maison.

Légèrement agacée, elle fit demi-tour, et, après avoir cherché de tous côtés la Reine (qu'elle finit par apercevoir dans le lointain), elle décida d'essayer, cette fois-ci, d'aller dans la direction opposée.

Cela réussit admirablement. A peine avait-elle marché pendant une minute qu'elle se trouvait face à face avec la Reine Rouge, tandis que la colline qu'elle essayait d'atteindre depuis si longtemps se dressait bien en vue devant elle.

— D'où viens-tu ? demanda la Reine Rouge. Et où vas-tu ? Lève la tête, réponds poliment, et n'agite pas tes mains sans arrêt.

Alice exécuta tous ces ordres, puis, elle expliqua de son mieux qu'elle avait perdu son chemin.

— Je ne comprends pas pourquoi tu prétends que tu as perdu *ton* chemin, dit la Reine Rouge ; tous les chemins qui sont ici m'appartiennent... Mais pourquoi es-tu venue ici ? ajouta-t-elle d'un ton plus doux. Fais la révérence pendant que tu réfléchis à ce que tu vas répondre. Ça permet de gagner du temps.

Ceci ne manqua pas de surprendre Alice, mais elle avait une trop sainte terreur de la Reine pour ne pas croire ce qu'elle venait de dire. « J'essaierai ça quand je serai de retour à la maison, pensa-t-elle, la prochaine fois où je serai un peu en retard pour le dîner ».

— Il est temps que tu me répondes, fit observer la Reine en regardant sa montre. Ouvre la bouche un tout petit peu plus en parlant, et n'oublie pas de dire : « Votre Majesté ».

— Je voulais simplement voir comment était le jardin, Votre Majesté...

— Très bien, dit la Reine, en lui tapotant la tête, ce qui déplut beaucoup à Alice. Mais, puisque tu parles de « jardin », moi j'ai vu des jardins auprès duquel celui-ci serait un véritable désert.

Alice n'osa pas discuter sur ce point, et continua :

— ... et j'avais l'intention d'essayer de grimper jusqu'au sommet de cette colline...

— Puisque tu parles de « colline », reprit la Reine, moi, je pourrais te montrer des collines auprès desquelles celle-ci ne serait qu'une vallée pour toi.

— Certainement pas, déclara Alice, qui finit par se laisser aller à la contredire. Une colline ne peut pas être une vallée. Ce serait une absurdité...

La Reine Rouge hocha la tête.

— Tu peux appeler ça « une absurdité » si ça te plaît, dit-elle. Mais, moi, j'ai entendu des absurdités auprès desquelles ceci paraîtrait aussi raisonnable qu'un dictionnaire !

Alice fit une autre révérence, car, d'après le ton de la Reine, elle craignait de l'avoir un tout petit peu offensée. Puis elles marchèrent en silence jusqu'au sommet de la colline.

Pendant quelques minutes, Alice resta sans mot dire à regarder le pays qui s'étendait devant elle... et c'était vraiment un drôle de pays. Plusieurs petits ruisseaux le parcouraient d'un bout à l'autre, et l'espace compris entre les ruisseaux était divisé en carrés par plusieurs haies perpendiculaires aux ruisseaux.

— Ma parole, on dirait exactement les cases d'un échiquier ! s'écria enfin Alice. Il devrait y avoir des pièces qui se déplacent quelque part... Et il y en a ! ajouta-t-elle d'un ton ravi, tandis que son cœur se mettait à battre plus vite. C'est une grande partie d'échecs qui est en train de se jouer... dans le monde entier... du moins, si ce que je vois est bien le monde. Oh ! comme c'est amusant ! Comme je voudrais être une des pièces ! Ça me serait égal d'être un Pion, pourvu que je puisse prendre part au jeu... mais, naturellement, je préfèrerais être une Reine.

Elle jeta un coup d'œil timide à la vraie Reine en prononçant ces mots, mais sa compagne se contenta de sourire aimablement et lui dit :

— C'est très facile. Si tu veux, tu peux être le Pion de la Reine Blanche, étant donné que Lily est trop jeune pour jouer. Pour commencer, tu es dans la Seconde Case, et, quand tu arriveras dans la Huitième Case, tu seras une Reine...

Juste à ce moment, je ne sais pourquoi, elles se mirent à courir.

En y réfléchissant plus tard, Alice ne put comprendre comment cela s'était fait : tout ce qu'elle se rappelle, c'est qu'elles étaient en train de courir, la main dans la main, et que la Reine courait si vite que la fillette avait beaucoup de mal à se maintenir à sa hauteur. La Reine n'arrêtait pas de crier : « Plus vite ! », et Alice sentait bien qu'il lui était absolument impossible d'aller plus vite, quoiqu'elle n'eût pas assez de souffle pour le dire.

Ce qu'il y avait de plus curieux, c'est que les arbres et tous les objets qui les entouraient ne changeaient jamais de place : elles avaient beau aller vite, jamais elles ne passaient devant rien. « Je me demande si les choses se déplacent en même temps que nous ? » pensait la pauvre Alice, tout intriguée. Et la Reine semblait deviner ses pensées, car elle criait : « Plus vite ! Ne parle pas ! »

Alice ne songeait pas le moins du monde à parler. Elle était tellement essoufflée qu'il lui semblait qu'elle ne serait plus jamais capable de dire un mot ; et la Reine criait toujours : « Plus vite ! Plus vite ! » en la tirant de toutes ses forces.

— Est-ce que nous y sommes bientôt ? parvint à articuler Alice, tout haletante.

— Si nous y sommes bientôt ! répéta la Reine. Mais, voyons, nous avons passé devant il y a dix minutes ! Plus vite !

Elles continuèrent à courir en silence pendant quelque temps, et le vent sifflait si fort aux oreilles d'Alice qu'elle avait l'impression qu'il lui arrachait presque les cheveux.

— Allons ! Allons ! criait la Reine. Plus vite ! Plus vite !

Elles allaient si vite qu'à la fin on aurait pu croire qu'elles glissaient dans l'air, en effleurant à peine le sol de leurs pieds ; puis, brusquement, au moment où Alice se sentait complètement épuisée, elles s'arrêtèrent, et la fillette se retrouva assise sur le sol, hors d'haleine et tout étourdie.

La Reine l'appuya contre un arbre, puis lui dit avec bonté :

— Tu peux te reposer un peu à présent.

Alice regarda autour d'elle d'un air stupéfait.

— Mais voyons, s'exclama-t-elle, je crois vraiment que nous n'avons pas bougé de sous cet arbre ! Tout est exactement comme c'était !

— Bien sûr, répliqua la Reine ; comment voudrais-tu que ce fût ?

— Ma foi, dans mon pays à moi, répondit Alice, encore un peu essoufflée, on arriverait généralement à un autre endroit si on courait très vite pendant longtemps, comme nous venons de le faire.

— On va bien lentement dans ton pays ! Ici, vois-tu, on est obligé de courir tant qu'on peut pour rester au même endroit. Si on veut aller ailleurs, il faut courir au moins deux fois plus vite que ça !

— Je vous en prie, j'aime mieux pas essayer ! Je me trouve très bien ici..., sauf que j'ai très chaud et très soif !

— Je sais ce qui te ferait plaisir ! déclara la Reine avec bienveillance, en tirant une petite boîte de sa poche. Veux-tu un biscuit ?

Alice jugea qu'il serait impoli de refuser, quoiqu'elle n'eût pas la moindre envie d'un biscuit. Elle le prit et le mangea de son mieux ; il était très sec, et elle pensa que jamais de sa vie elle n'avait été en si grand danger de s'étouffer.

— Pendant que tu es en train de te rafraîchir, reprit la Reine, je vais prendre les mesures.

Elle tira de sa poche un ruban divisé en centimètres, et se mit à mesurer le terrain, en enfonçant de petites chevilles à certains points.

— Quand j'aurai parcouru deux mètres, dit-elle en enfonçant une cheville pour marquer l'endroit, je te donnerai mes instructions... Veux-tu un autre biscuit ?

— Non, merci ; un seul me suffit largement !

— Ta soif est calmée, j'espère ?

Alice ne sut que répondre à cela, mais, fort heureusement, la Reine n'attendit pas sa réponse, et continua :

— Quand je serai arrivée au troisième mètre, je te les répèterai... de peur que tu ne les oublies. Au bout du quatrième mètre, je te dirai au revoir. Au bout du cinquième mètre, je m'en irai !

Elle avait maintenant enfoncé toutes les chevilles, et Alice la regarda d'un air très intéressé revenir à l'arbre, puis marcher lentement le long de la ligne droite qu'elle venait de tracer.

Arrivée à la cheville qui marquait le deuxième mètre, elle se retourna et dit :

— Un pion franchit deux cases quand il se déplace pour la première fois. Donc, tu traverseras la Troisième Case très rapidement... probablement par le train... et tu te trouveras tout de suite dans la Quatrième Case. Cette case-là appartient à Bonnet Blanc et à Blanc Bonnet... La Cinquième ne renferme guère que de l'eau... La Sixième appartient au Gros Coco... Mais tu ne dis rien ?...

— Je... je ne savais pas que je devais dire quelque chose... pour l'instant du moins..., balbutia Alice.

— Tu aurais dû dire, continua la Reine d'un ton de grave reproche : « C'est très aimable à vous de me donner toutes ces indications »... Enfin, mettons que tu l'aies dit... La Septième Case est complètement recouverte par une forêt... mais un des Cavaliers te montrera le chemin. Finalement, dans la Huitième Case, nous serons Reines toutes les deux : il y aura un grand festin et de grandes réjouissances !

Alice se leva, fit la révérence, et se rassit.

Arrivée à la cheville suivante, la Reine se retourna une fois de plus et dit :

— Parle français quand tu ne trouves pas le mot anglais pour désigner un objet..., écarte bien tes orteils en marchant... et rappelle-toi qui tu es.

Cette fois, elle ne donna pas à Alice le temps de faire la révérence ; elle alla très vite jusqu'à la cheville suivante, se retourna pour dire au revoir, et gagna rapidement la dernière cheville.

Alice ne sut jamais comment cela se fit, mais, dès que la Reine parvint à la dernière cheville, elle disparut. Il lui fut impossible de deviner si elle s'était évanouie dans l'air ou si elle avait couru très vite dans le bois (« et elle est capable de courir très vite ! » pensa Alice). Ce qu'il y a de sûr c'est qu'elle disparut : alors, la fillette se rappela qu'elle était un pion et qu'il serait bientôt temps de se déplacer.

Chapitre 3
Insectes du miroir

Naturellement, elle commença par examiner en détail le pays qu'elle allait parcourir : « Ça me rappelle beaucoup mes leçons de géographie, pensa-t-elle en se dressant sur la pointe des pieds dans l'espoir de voir un peu plus loin. Fleuves principaux... il n'y en a pas. Montagnes principales... je suis la seule qui existe, mais je ne crois pas qu'elle ait un nom. Villes principales... Tiens, quelles sont ces créatures qui font du miel là-bas ? Ça ne peut pas être des abeilles... personne n'a jamais pu distinguer des abeilles à un kilomètre de distance... » Et pendant quelques minutes elle resta sans rien dire à regarder l'une d'elles qui s'affairait au milieu des fleurs dans lesquelles elle plongeait sa trompe, « exactement comme si c'était une abeille ordinaire », pensa Alice.

Mais c'était tout autre chose qu'une abeille ordinaire : en fait c'était un éléphant, comme Alice ne tarda pas à s'en apercevoir, bien que cette idée lui coupât le souffle tout d'abord. « Ce que les fleurs doivent être énormes ! se dit-elle tout de suite après. Elles doivent ressembler à des petites maisons dont on aurait enlevé le toit et qu'on aurait placées sur une tige... Et quelles quantités de miel ils doivent faire ! Je crois que je vais descendre pour... Non, je ne vais pas y aller tout de suite, continua-t-elle, en se retenant au moment où elle s'apprêtait à descendre la colline au pas de course, et en essayant de trouver une excuse à cette crainte soudaine. « Ça ne serait pas très malin de descendre au milieu d'eux sans avoir une longue branche bien solide pour les chasser... Et ce que ça sera drôle quand on me demandera si mon voyage m'a plu ! Je répondrai : Oh, il m'a beaucoup plu... (Ici, elle rejeta la tête en arrière d'un mouvement qui lui était familier) ; seulement il faisait très chaud, il y avait beaucoup de poussière, et les éléphants étaient insupportables !

« Je crois que je vais descendre de l'autre côté, poursuivit-elle au bout d'un moment. Peut-être que je pourrai aller voir les éléphants un peu plus tard. D'ailleurs, il me tarde tellement d'entrer dans la Troisième Case ! »

Sur cette dernière excuse, elle descendit la colline en courant, et franchit d'un bond le premier des six ruisseaux.

— Billets, siouplaît ! dit le Contrôleur en passant la tête par la portière.

En un instant tout le monde eut un billet à la

main : les billets étaient presque de la même taille que les voyageurs, et on aurait dit qu'ils remplissaient tout le wagon.

— Allons ! montre ton billet, petite ! continua le Contrôleur, en regardant Alice d'un air furieux.

Et plusieurs voix dirent en même temps, (« comme un refrain qu'on chante en chœur », pensa Alice) :

— Ne le fais pas attendre, petite ! Songe que son temps vaut mille livres sterling par minute !

— Je crains bien de ne pas avoir de billet, dit Alice d'un ton craintif ; il n'y avait pas de guichet à l'endroit d'où je viens.

Et, de nouveau, les voix reprirent en chœur :

— Il n'y avait pas la place de mettre un guichet à l'endroit d'où elle vient. Là-bas, le terrain vaut mille livres le centimètre carré !

— Inutile d'essayer de t'excuser, reprit le Contrôleur ; tu aurais dû en acheter un au mécanicien.

Et, une fois de plus, les voix reprirent en chœur :

— C'est l'homme qui conduit la locomotive. Songe donc : rien que la fumée vaut mille livres la bouffée !

Alice pensa : « En ce cas, il est inutile de parler. »

Les voix ne reprirent pas ses paroles en chœur, étant donné qu'elle n'avait pas parlé, mais, à sa grande surprise, tous se mirent à *penser en chœur* (j'espère que vous savez ce que signifie *penser en chœur*... car, moi, j'avoue que je l'ignore) : « Mieux vaut ne rien dire du tout. La parole vaut mille livres le mot ! »

« Je vais rêver de mille livres cette nuit, c'est sûr et certain ! » se dit Alice.

Pendant tout ce temps-là, le Contrôleur n'avait pas cessé de la regarder, d'abord au moyen d'un télescope, ensuite au moyen d'un microscope, et enfin au moyen d'une lunette de théâtre. Finalement il déclara : « Tu voyages dans la mauvaise direction », releva la vitre de la portière, et s'éloigna.

— Une enfant si jeune, dit le monsieur qui était assis en face d'elle (il était vêtu de papier blanc), devrait savoir dans quelle direction elle va, même si elle ne sait pas son propre nom !

Un Bouc, installé à côté du monsieur vêtu de blanc, ferma les yeux et dit à haute voix :

— Elle devrait savoir trouver un guichet, même si elle ne sait pas son alphabet !

Un Scarabée se trouvait assis à côté du Bouc (c'était un groupe de voyageurs des plus étranges, en vérité !) et, comme ils semblaient avoir pour règle de parler l'un à la suite de l'autre, ce fut lui qui continua en ces termes :

— Elle sera obligée de partir d'ici comme colis !

Alice ne pouvait distinguer qui était assis de l'autre côté du Scarabée, mais ce fut une voix rauque qui parla après lui. « Changer de locomotive... », commença-t-elle, puis elle s'étouffa et fut obligée de s'interrompre.

« Cette voix est rude comme un roc », pensa Alice.

Et une toute petite voix, tout contre son oreille, dit : « Tu pourrais faire un jeu de mots à ce sujet... quelque chose sur "roc" et sur "rauque", vois-tu [b] ? »

Puis une voix très douce murmura dans le lointain : « Il faudra l'emballer soigneusement, et mettre une étiquette : "Fragile". »

Après cela, plusieurs voix continuèrent à parler. (« C'est fou ce qu'il y a de voyageurs dans ce wagon ! » pensa Alice). Elles disaient : « Elle devrait voyager par la poste, puisqu'elle a une tête comme on en voit sur les timbres »... « Il faut l'envoyer par message télégraphique »... « Il faut qu'elle tire le train derrière elle pendant le reste du voyage »... etc.

Mais le monsieur vêtu de papier blanc se pencha vers elle et lui murmura à l'oreille :

— Ne fais pas attention à ce qu'ils disent, mon enfant, et prends un billet de retour chaque fois que le train s'arrêtera.

— Je n'en ferai rien ! déclara Alice d'un ton plein d'impatience. Je ne fais pas du tout partie de ce voyage... Ce wagon me déplaît... Ces sièges sont durs comme du bois !... Ah ! comme je voudrais revenir dans le bois où j'étais tout à l'heure !

— Tu pourrais faire un jeu de mots à ce sujet, dit la petite voix tout près de son oreille, quelque chose comme : « dans un bois » et : « sur du bois », vois-tu [c] ?

— Finissez de me taquiner, dit Alice, en regardant vainement autour d'elle pour voir d'où la voix pouvait bien venir. Si vous tenez tellement aux jeux de mots, pourquoi n'en faites-vous pas un vous-même ?

La petite voix soupira profondément ; il semblait évident qu'elle était très malheureuse, et Alice aurait prononcé quelques mots compatissants pour la consoler, « si seulement elle soupirait comme tout le monde ! » pensa-t-elle. Mais c'était un soupir si extraordinairement léger qu'elle ne l'aurait absolument pas entendu s'il ne s'était pas produit tout près de son oreille. En conséquence, il la chatouilla terriblement, et lui fit complètement oublier le malheur de la pauvre petite créature.

— Je sais que tu es une amie, continua la petite voix, une amie intime, une vieille amie, et tu ne me ferais pas de mal, bien que je sois un insecte.

— Quel genre d'insecte ? demanda Alice non sans inquiétude. (Ce qu'elle voulait vraiment savoir, c'était s'il piquait ou non, mais elle jugea qu'il ne serait pas très poli de le demander.)

"Comment, mais alors tu n'aimes..." commença la petite voix ; mais elle fut étouffée par un sifflement strident de la locomotive, et tout le monde fit un bond de terreur, Alice comme les autres.

Un cheval, qui avait passé la tête par la portière, la retira tranquillement et dit : « Ce n'est rien ; c'est un ruisseau que nous allons sauter. » Tout le monde sembla satisfait, mais Alice se sentit un peu inquiète à l'idée que le train pouvait sauter. « De toute façon, il nous amènera dans la Quatrième Case, ce qui est assez réconfortant ! » pensa-t-elle.

Un instant plus tard, elle sentit le wagon se soulever tout droit dans l'air, et, dans sa terreur, elle se cramponna à la première chose qui lui tomba sous la main, qui se trouva être la barbe du Bouc.

Mais la barbe sembla disparaître au moment précis où elle la touchait, et elle se trouva assise tranquillement sous un arbre... tandis que le Moucheron (car tel était l'insecte à qui elle avait parlé) se balançait sur une branche juste au-dessus de sa tête et l'éventait de ses ailes.

A vrai dire, c'était un très, très gros Moucheron : « à peu près de la taille d'un poulet », pensa Alice. Malgré tout, elle n'arrivait pas à avoir peur de lui, après la longue conversation qu'ils avaient eue.

— ... alors tu n'aimes pas tous les insectes ? continua le Moucheron aussi tranquillement que si rien ne s'était passé.

— Je les aime quand ils savent parler, répondit Alice. Dans le pays d'où je viens, aucun insecte ne parle.

— Et quels sont les insectes que tu as le bonheur de connaître dans le pays d'où tu viens ?

— Les insectes ne me procurent aucune espèce de bonheur parce qu'ils me font plutôt peur... du moins les gros... Mais je peux te dire le nom de quelques-uns d'entre eux.

— Je suppose qu'ils répondent quand on les appelle par leur nom ? demanda le Moucheron d'un ton négligent.

— Je ne les ai jamais vus faire cela.

— A quoi ça leur sert d'avoir un nom, s'ils ne répondent pas quand on les appelle ?

— Ça ne leur sert de rien, à eux, mais je suppose que c'est utile aux gens qui leur donnent des noms. Sans ça, pourquoi est-ce que les choses auraient un nom ?

— Je ne sais pas. Dans le bois, là-bas, les choses et les êtres vivants n'ont pas de nom... Néanmoins, donne-moi ta liste d'insectes.

— Eh bien, il y a d'abord le Taon, commença Alice, en comptant sur ses doigts.

— Et qu'est-ce que le Taon ?

— Si tu préfères, c'est une Mouche-à-chevaux, parce qu'elle s'attaque aux chevaux.

— Je vois. Regarde cet animal sur ce buisson : c'est une Mouche-à-chevaux-de-bois [d]. Elle est faite entièrement de bois, et se déplace en se balançant de branche en branche.

— De quoi se nourrit-elle ? demanda Alice avec beaucoup de curiosité.

— De sève et de sciure. Continue, je t'en prie.

Alice examina la Mouche-à-chevaux-de-bois avec grand intérêt, et décida qu'on venait sans

doute de la repeindre à neuf, tellement elle semblait luisante et gluante. Puis, elle reprit :

— Il y a aussi la Libellule-des-ruisseaux.

— Regarde sur la branche qui est au-dessus de ta tête, et tu y verras une Libellule-des-brûlots [e]. Son corps est fait de plum-pudding ; ses ailes, de feuilles de houx ; et sa tête est un raisin sec en train de brûler dans de l'eau-de-vie[1].

— Et de quoi se nourrit-elle ?

— De bouillie de froment et de pâtés au hachis de fruits ; elle fait son nid dans une boîte à cadeaux de Noël.

— Ensuite, il y a le Papillon, continua Alice, après avoir bien examiné l'insecte à la tête

---

1. Un brûlot est un mélange d'eau-de-vie et de sucre que l'on fait brûler. A la Noël, en Angleterre, on pratique un jeu qui consiste à retirer avec ses doigts des raisins secs plongés dans un bol plein d'eau-de-vie en train de brûler. C'est ce qui explique la description que donne le Moucheron de la Libellule-des-brûlots.

enflammée (tout en pensant : « Je me demande si c'est pour ça que les insectes aiment tellement voler dans la flamme des bougies..., pour essayer de devenir des Libellules-des-brûlots ! »)

— En train de ramper à tes pieds, dit le Moucheron (Alice recula ses pieds vivement non sans inquiétude), se trouve un Tartinillon $\int$. Ses ailes sont de minces tartines de pain beurré, et sa tête est un morceau de sucre.

— Et de quoi se nourrit-il ?

— De thé léger avec du lait dedans.

Une nouvelle difficulté se présenta à l'esprit d'Alice :

— Et s'il ne pouvait pas trouver de thé et de lait ? suggéra-t-elle.

— En ce cas, il mourrait, naturellement.

— Mais ça doit arriver très souvent, fit observer Alice d'un ton pensif.

— Ça arrive toujours, dit le Moucheron.

Là-dessus Alice garda le silence pendant une ou deux minutes, et se plongea dans de profondes réflexions. Le Moucheron, pendant ce temps, s'amusa à tourner autour de sa tête en bourdonnant. Finalement, il se posa de nouveau sur la branche et demanda :

— Je suppose que tu ne voudrais pas perdre ton nom ?

— Non sûrement pas, répondit Alice d'une voix plutôt anxieuse.

— Pourtant ça vaudrait peut-être mieux, continua le Moucheron d'un ton négligent. Songe combien ce serait commode si tu pouvais t'arranger pour rentrer chez toi sans ton nom ! Par exemple si ta gouvernante voulait t'appeler pour te faire réciter tes leçons, elle crierait : « Allons »..., puis elle serait obligée de s'arrêter, parce qu'il n'y aurait plus de nom qu'elle puisse appeler, et, naturellement, tu ne serais pas obligée d'y aller.

— Ça ne se passerait pas du tout comme ça, j'en suis sûre. Ma gouvernante ne me dispenserait pas de mes leçons pour si peu. Si elle ne pouvait pas se rappeler mon nom, elle crierait : « Allons, là-bas, Mademoiselle ! »

— Eh bien, si elle te disait : « Allons là-bas, Mademoiselle ! » sans rien ajouter d'autre, tu t'en irais là-bas, et ainsi tu ne réciterais pas tes leçons. C'est un jeu de mots. Je voudrais bien que ce soit toi qui l'aies fait *g* !

— Pourquoi voudrais-tu que ce soit moi qui l'aie fait ? C'est un très mauvais jeu de mots !

Mais le Moucheron se contenta de pousser un profond soupir, tandis que deux grosses larmes roulaient sur ses joues.

— Tu ne devrais pas faire de plaisanteries, dit Alice, puisque ça te rend si malheureux.

Il y eut un autre soupir mélancolique, et, cette fois, Alice put croire que le Moucheron s'était fait disparaître en soupirant, car, lorsqu'elle leva les yeux, il n'y avait plus rien du tout sur la branche. Comme elle commençait à avoir très froid à force d'être restée assise sans bouger pendant si longtemps, elle se leva et se remit en route.

Bientôt, elle arriva devant un espace découvert, de l'autre côté duquel s'étendait un grand bois : il avait l'air beaucoup plus sombre que le bois qu'elle avait laissé derrière elle, et elle se sentit un tout petit peu intimidée à l'idée d'y pénétrer. Néanmoins, après un moment de réflexion, elle décida de continuer à avancer : « car je ne veux absolument pas revenir en arrière », pensa-t-elle, et c'était la seule route qui menât à la Huitième Case.

« Ce doit être le bois, se dit-elle pensivement, où les choses et les êtres vivants n'ont pas de nom. Je me demande ce qui va arriver à mon nom, à moi, lorsque j'y serai entrée... Je n'aimerais pas du tout le perdre, parce qu'on serait obligé de m'en donner un autre et qu'il serait presque sûrement très vilain. Mais, d'un autre côté, ce que ça serait drôle d'essayer de trouver la créature qui porterait mon ancien nom ! Ce serait tout à fait comme ces annonces qu'on voit, quand les gens perdent leur chien : « *répond au nom de : Médor ; portait un collier de cuivre...* » Je me vois en train d'appeler : « Alice » toutes les créatures que je rencontrerais jusqu'à ce qu'une d'elles réponde ! Mais, naturellement, si elles avaient pour deux sous de bon sens, elles ne répondraient pas ».

Elle était en train de divaguer ainsi lorsqu'elle atteignit le bois qui semblait plein d'ombre fraîche. « Ma foi, en tout cas, c'est très agréable, poursuivit-elle en pénétrant sous les arbres, après avoir eu si chaud, d'arriver dans le... dans le... au fait, dans quoi ? continua-t-elle, un peu surprise de ne pas pouvoir trouver le mot. Je veux dire : d'arriver sous les... sous les... sous ceci ! dit-elle en mettant la main sur le tronc d'un arbre : Comment diable est-ce que ça s'appelle ? Je crois vraiment que ça n'a pas de nom... Mais, voyons, bien sûr que ça n'en a pas ! »

Elle resta à réfléchir en silence pendant une bonne minute ; puis brusquement, elle s'exclama : « Ainsi, ça a bel et bien fini par arriver ! C'était donc vrai ! Et maintenant, qui suis-je ? Je veux absolument m'en souvenir, si c'est possible ! Je suis tout à fait décidée à m'en souvenir ! » Mais, elle avait beau être tout à fait décidée, cela ne lui servit pas à grand-chose ; tout ce qu'elle put trouver, après s'être cassé la tête pendant un bon moment, ce fut ceci : « L, je suis sûre que ça commence par L ! »

Juste à ce moment-là, un Faon arriva tout près d'elle. Il la regarda de ses grands yeux doux, sans avoir l'air effrayé le moins du monde. « Viens, mon petit ! » dit Alice, en étendant la main et en essayant de le caresser ; mais il se contenta de reculer un peu, puis s'arrêta pour la regarder de nouveau.

— Qui es-tu ? demanda le Faon. (Quelle voix douce il avait !)

« Je voudrais bien le savoir ! » pensa la pauvre Alice. Puis, elle répondit, assez tristement :

— Je ne suis rien, pour l'instant.

— Réfléchis un peu, dit le Faon ; ça ne peut pas aller comme ça.

Alice réfléchit, mais sans résultat.

— Pourrais-tu, je te prie, me dire qui tu es, toi ? demanda-t-elle d'une voix timide. Je crois que ça m'aiderait un peu.

— Je vais te le dire si tu viens avec moi plus loin, répondit le Faon. Ici, je ne peux pas m'en souvenir.

Alice entoura tendrement de ses bras le cou du Faon au doux pelage, et tous deux traversèrent le bois. Quand ils arrivèrent en terrain découvert, le Faon fit un bond soudain et s'arracha des bras de la fillette.

— Je suis un Faon ! s'écria-t-il d'une voix ravie. Mais, mon Dieu, ajouta-t-il, toi, tu es un petit d'homme !

Une lueur d'inquiétude s'alluma brusquement dans ses beaux yeux marrons, et, un instant plus tard, il s'enfuyait à toute allure.

Alice resta immobile à le regarder, prête à pleurer de contrariété d'avoir perdu si vite son petit compagnon de voyage bien-aimé. « Enfin, je sais mon nom à présent, se dit-elle ; c'est déjà une consolation. Alice... Alice... je ne l'oublierai pas. Et maintenant, auquel de ces deux poteaux indicateurs dois-je me fier ? Je me le demande. »

Il n'était pas difficile de répondre à cette question, car il n'y avait qu'une seule route, et les deux poteaux indicateurs montraient la même direction. « Je prendrai une décision, se dit Alice, lorsque la route se divisera en deux, et que les poteaux indicateurs montreront des directions différentes. »

Ceci semblait ne jamais devoir arriver. En effet, Alice marcha longtemps ; mais, chaque fois que la route bifurquait, les deux poteaux indicateurs étaient toujours là et montraient la même direction.

Sur l'un on lisait : VERS LA MAISON DE BONNET BLANC, et sur l'autre : VERS DE BLANC BONNET LA MAISON.

« Je suis sûre, finit par dire Alice, qu'ils vivent dans la même maison ! J'aurais dû y penser plus tôt... Mais il ne faudra pas que je m'y attarde. Je me contenterai de leur faire une petite visite, de leur dire : "Comment allez-vous ?" et de leur demander par où je peux sortir du bois. Si je pouvais arriver à la Huitième Case avant la nuit ! »

Elle continua à marcher, tout en parlant sans arrêt, chemin faisant, jusqu'à ce que, après avoir pris un tournant brusque, elle tombât tout d'un coup sur deux gros petits bonhommes. Elle fut si surprise qu'elle ne put s'empêcher de reculer ; mais, un instant plus tard, elle reprit son sang-froid, car elle avait la certitude que les deux petits bonshommes devaient être...

Chapitre 4
Bonnet Blanc
et Blanc Bonnet[h]

Ils se tenaient sous un arbre ; chacun d'eux avait un bras passé autour du cou de l'autre, et Alice put les différencier d'un seul coup d'œil, car l'un avait le mot BONNET brodé sur le devant de son col, et l'autre le mot BLANC. « Je suppose que le premier doit avoir BLANC sur le derrière de son col, et que le second doit avoir BONNET, se dit-elle.

Ils gardaient une immobilité si parfaite qu'elle oublia qu'ils étaient vivants. Elle s'apprêtait à regarder le derrière de leur col pour savoir si elle avait deviné juste, quand elle sursauta en entendant une voix qui venait de celui qui était marqué : BONNET.

— Si tu nous prends pour des figures de cire, déclara-t-il, tu devrais payer pour nous regarder. Les figures de cire n'ont pas été faites pour qu'on les regarde gratis. En aucune façon !

— Tout au contraire, ajouta celui qui était marqué « BLANC », si tu crois que nous sommes vivants, tu devrais nous parler.

— Je vous fais toutes mes excuses, dit Alice.

Elle fut incapable d'ajouter autre chose, car les paroles de la vieille chanson résonnaient dans sa tête sans arrêt, comme le tic-tac d'une horloge, et elle eut beaucoup de peine à s'empêcher de les réciter à haute voix :

Bonnet Blanc dit que Blanc Bonnet
Lui avait brisé sa crécelle ;
Et Bonnet Blanc et Blanc Bonnet
Dirent : « Vidons cette querelle. »

Mais un énorme et noir corbeau
Juste à côté d'eux vint s'abattre ;
Il fit si peur aux deux héros
Qu'ils oublièrent de se battre[1].

— Je sais à quoi tu es en train de penser, dit Bonnet Blanc ; mais ce n'est pas vrai, en aucune façon.

— Tout au contraire, continua Blanc Bonnet, si c'était vrai, cela ne pourrait pas être faux ; et en admettant que ce fût vrai, cela ne serait pas faux ;

1. Poésie enfantine anglaise.

mais comme ce n'est pas vrai, c'est faux. Voilà de la bonne logique.

— J'étais en train de me demander, dit Alice très poliment, quel chemin il faut prendre pour sortir de ce bois, car il commence à se faire tard. Voudriez-vous me l'indiquer, s'il vous plaît ?

Mais les gros petits bonshommes se contentèrent de se regarder en ricanant.

Ils ressemblaient tellement à deux grands écoliers qu'Alice ne put s'empêcher de montrer Bonnet Blanc du doigt en disant :

— Commencez, vous, le premier de la rangée !

— En aucune façon ! s'écria vivement Bonnet Blanc.

Puis il referma la bouche aussitôt avec un bruit sec.

— Au suivant ! fit Alice, passant à Blanc Bonnet, mais avec la certitude qu'il se contenterait de crier : « Tout au contraire ! » ce qui ne manqua pas d'arriver.

— Tu t'y prends très mal ! s'écria Bonnet Blanc. Quand on fait une visite, on commence par demander : « Comment ça va ? » et ensuite, on tend la main !

Là-dessus, les deux frères se serrèrent d'un seul bras l'un contre l'autre, et tendirent leur main libre à la fillette.

Alice ne pouvait se résoudre à prendre d'abord la main de l'un des deux, de peur de froisser l'autre. Pour se tirer d'embarras, elle saisit leurs deux mains en même temps, et, un instant plus tard, tous les trois étaient en train de danser en rond. Elle se rappela par la suite que cela lui parut tout naturel ;

elle ne fut même pas surprise d'entendre de la musique : cette musique semblait provenir de l'arbre sous lequel ils dansaient, et elle était produite (autant qu'elle put s'en rendre compte) par les branches qui se frottaient l'une contre l'autre, comme un archet frotte les cordes d'un violon.

« Mais ce qui m'a semblé vraiment bizarre, expliqua Alice à sa sœur, lorsqu'elle lui raconta ses aventures, ç'a été de me trouver en train de chanter : "Nous n'irons plus au bois." Je ne sais pas à quel moment je me suis mise à chanter, mais j'ai eu l'impression de chanter pendant très, très longtemps ! »

Les deux danseurs étaient gros, et ils furent bientôt essouflés.

— Quatre tours suffisent pour une danse, dit Bonnet Blanc, tout haletant.

Et ils s'arrêtèrent aussi brusquement qu'ils avaient commencé. La musique s'arrêta en même temps.

Alors, ils lâchèrent les mains d'Alice, et la regardèrent pendant une bonne minute. Il y eut un silence assez gêné, car elle ne savait trop comment entamer la conversation avec des gens avec qui elle venait de danser. « Il n'est guère possible de dire : "Comment ça va ?" *maintenant,* pensa-t-elle ; il me semble que nous n'en sommes plus là ! »

— J'espère que vous n'êtes pas trop fatigués ? demanda-t-elle enfin.

— En aucune façon ; et je te remercie mille fois de nous l'avoir demandé, répondit Bonnet Blanc.

— Nous te sommes très obligés ! ajouta Blanc Bonnet. Aimes-tu la poésie ?

— Ou-oui, assez..., du moins un certain genre de poésie, dit Alice sans conviction. Voudriez-vous m'indiquer quel chemin il faut prendre pour sortir du bois ?

— Que vais-je lui réciter ? demanda Blanc Bonnet, en regardant Bonnet Blanc avec de grands yeux sérieux, sans faire attention à la question d'Alice.

— La plus longue poésie que tu connaisses : « *Le Morse et le Charpentier* », répondit Bonnet Blanc en serrant affectueusement son frère contre lui.

Blanc Bonnet commença sans plus attendre :
« *Le soleil brillait...* »

A ce moment, Alice se risqua à l'interrompre.

— Si cette poésie est vraiment très longue, dit-elle aussi poliment qu'elle le put, voudriez-vous m'indiquer d'abord quel chemin...

Blanc Bonnet sourit doucement et recommença :

Le soleil brillait sur la mer,
Brillait de toute sa puissance,
Pour apporter aux flots amers
Un éclat beaucoup plus intense...
Le plus curieux dans tout ceci
C'est qu'on était en plein minuit.

La lune, de mauvaise humeur,
S'indignait fort contre son frère
Qui, vraiment, devrait être ailleurs
Lorsque le jour a fui la terre...
« Il est, disait-elle, grossier
De venir ainsi tout gâcher. »

Les flots étaient mouillés, mouillés,
Et sèche, sèche était la plage.
Nul nuage ne se voyait
Car il n'y avait pas de nuages.
Nul oiseau ne volait en haut
Car il n'y avait pas d'oiseau.

Or, le Morse et le Charpentier
S'en allaient tous deux côte à côte.
Ils pleuraient à faire pitié
De voir le sable de la côte,
En disant : « Si on l'enlevait,
Quel beau spectacle ce serait ! »

« Sept bonnes ayant sept balais
Balayant pendant une année
Suffiraient-elles au déblai ? »
Dit le Morse, l'âme troublée.
Le Charpentier dit : « Certes non »,
Et poussa un soupir profond.

« Ô Huîtres, venez avec nous !
Dit le Morse d'une voix claire.
Marchons en parlant, — l'air est doux —,
Tout le long de la grève amère.
Nous n'en voulons que quatre, afin
De pouvoir leur donner la main. »

La plus vieille le regarda,
Mais elle demeura muette ;
La plus vieille de l'œil cligna
Et secoua sa lourde tête...
Comme pour dire : « Mon ami,
Je ne veux pas quitter mon lit. »

Quatre autres Huîtres, sur-le-champ,
S'apprêtèrent pour cette fête :
Veston bien brossé, faux-col blanc,
Chaussures cirées et bien nettes...
Et ceci est fort singulier,
Car elles n'avaient pas de pieds.

Quatre autres Huîtres, aussitôt,
Les suivirent, et puis quatre autres ;
Puis d'autres vinrent par troupeaux,
A la voix de ce bon apôtre...
Toutes, courant et sautillant,
Sortirent des flots scintillants.

Donc, le Morse et le Charpentier
Marchèrent devant le cortège,
Puis s'assirent sur un rocher
Bien fait pour leur servir de siège.
Et les Huîtres, groupées en rond,
Fixèrent les deux compagnons.

Le Morse dit : « C'est le moment
De parler de diverses choses ;
Du froid... du chaud... du mal aux dents...
De choux-fleurs... de rois... et de roses...
Et si les flots peuvent brûler...
Et si les porcs savent voler... »

Les Huîtres dirent : « Attendez !
Pour parler nous sommes trop lasses ;
Donnez-nous le temps de souffler,
Car nous sommes toutes très grasses !
Je veux bien », dit le Charpentier.
Et Huîtres de remercier.

Le Morse dit : « Un peu de pain
Nous sera, je crois, nécessaire ;
Poivre et bon vinaigre de vin
Feraient, eux aussi, notre affaire...
Ô Huîtres, quand vous y serez,
Nous commencerons à manger. »

« *Vous n'allez pas nous manger, nous !*
Dirent-elles, horrifiées.
Jamais nous n'aurions cru que vous
Pourriez avoir pareille idée ! »
Le Morse dit : « La belle nuit !
Voyez comme le soleil luit !

Merci de nous avoir suivis,
Ô mes belles Huîtres si fines ! »
Le Charpentier, lui, dit ceci :
« *Coupe-moi donc une tartine !*
Tu dois être sourd, par ma foi...
Je te l'ai déjà dit deux fois ! »

Le Morse dit : « Ah ! c'est honteux
De les avoir ainsi trompées,
Et de les manger à nous deux
Au terme de leur équipée ! »
Le Charpentier, lui, dit ceci :
« *Passe le beurre par ici !* »

Le Morse dit : « Je suis navré ;
Croyez à mes condoléances. »
Sanglotant, il mit de côté
Les plus grosses de l'assistance ;
Et devant ses yeux ruisselants
Il tenait un grand mouchoir blanc.

« Ô Huîtres, dit le Charpentier,
Le jour à l'horizon s'annonce ;
Pouvons-nous vous raccompagner ? »
Mais il n'y eut pas de réponse...
Bien sot qui s'en étonnerait,
Car plus une Huître ne restait.

— J'aime mieux le Morse, dit Alice, parce que, voyez-vous, lui, au moins, a eu pitié des pauvres huîtres.

— Ça ne l'a pas empêché d'en manger davantage que le Charpentier, fit remarquer Blanc Bonnet. Vois-tu, il tenait son mouchoir devant lui pour que le Charpentier ne puisse pas compter combien il en prenait : tout au contraire.

— Comme c'est vilain ! s'exclama Alice, indignée. En ce cas, j'aime mieux le Charpentier... puisqu'il en a mangé moins que le Morse.

— Mais il a mangé toutes celles qu'il a pu attraper, fit remarquer Bonnet Blanc.

Ceci était fort embarrassant. Après un moment de silence, Alice commença :

— Ma foi ! L'un et l'autre étaient des personnages bien peu sympathiques...

Ici, elle s'arrêta brusquement, pleine d'alarme, en entendant un bruit qui ressemblait au halètement d'une grosse locomotive dans le bois, tout près d'eux, et qui, elle le craignit, devait être produit par une bête sauvage.

— Y a-t-il des lions ou des tigres dans les environs ? demanda-t-elle timidement.

— C'est tout simplement le Roi Rouge qui ronfle, répondit Blanc Bonnet.

— Viens le voir ! crièrent les deux frères.

Et, prenant Alice chacun par une main, ils la menèrent à l'endroit où le Roi dormait.

— N'est-il pas adorable ? demanda Bonnet Blanc.

Alice ne pouvait vraiment pas dire qu'elle le trouvait adorable. Il avait un grand bonnet de nuit rouge orné d'un gland, et il était tout affalé en une espèce de tas malpropre ronflant tant qu'il pouvait... « si fort qu'on aurait pu croire que sa tête allait éclater ! » comme le déclara Bonnet Blanc.

— J'ai peur qu'il n'attrape froid à rester couché sur l'herbe humide, dit Alice qui était une petite fille très prévenante.

— Il est en train de rêver, déclara Blanc Bonnet ; et de quoi crois-tu qu'il rêve ?

— Personne ne peut deviner cela, répondit Alice.

— Mais, voyons, il rêve de toi ! s'exclama Blanc Bonnet, en battant des mains d'un air de triomphe. Et s'il cessait de rêver de toi, où crois-tu que tu serais ?

— Où je suis à présent, bien sûr, dit Alice.

— Pas du tout ! répliqua Blanc Bonnet d'un ton méprisant. Tu n'es qu'un des éléments de son rêve !

— Si ce Roi qu'est là venait à se réveiller, ajouta

Bonnet Blanc, tu disparaîtrais — pfutt ! — comme une bougie qui s'éteint !

— C'est faux ! protesta Alice d'un ton indigné. D'ailleurs, si, moi, je suis un des éléments de son rêve, je voudrais bien savoir ce que vous êtes, vous ?

— Idem, répondit Bonnet Blanc.

— Idem, idem ! cria Blanc Bonnet.

Il cria si fort qu'Alice ne put s'empêcher de dire :

— Chut ! Vous allez le réveiller si vous faites tant de bruit.

— Voyons, pourquoi parles-tu de le réveiller, demanda Blanc Bonnet, puisque tu n'es qu'un des éléments de son rêve ? Tu sais très bien que tu n'es pas réelle.

— Mais si, je suis réelle ! affirma Alice, en se mettant à pleurer.

— Tu ne te rendras pas plus réelle en pleurant, fit observer Blanc Bonnet. D'ailleurs, il n'y a pas de quoi pleurer.

— Si je n'étais pas réelle, dit Alice (en riant à travers ses larmes, tellement tout cela lui semblait ridicule), je serais incapable de pleurer.

— J'espère que tu ne crois pas que cc sont de vraies larmes ? demanda Blanc Bonnet avec le plus grand mépris.

« Je sais qu'ils disent des bêtises, pensa Alice, et je suis stupide de pleurer. »

Là-dessus, elle essuya ses larmes, et continua aussi gaîment que possible :

— En tout cas, je ferais mieux de sortir du bois, car, vraiment, il commence à faire très sombre. Croyez-vous qu'il va pleuvoir ?

Bonnet Blanc prit un grand parapluie qu'il ouvrit au-dessus de lui et de son frère, puis il leva les yeux.

— Non, je ne crois pas, dit-il ; du moins... pas là-dessous. En aucune façon.

— Mais il pourrait pleuvoir à l'extérieur ?

— Il peut bien pleuvoir,... si ça veut pleuvoir, déclara Blanc Bonnet ; nous n'y voyons aucun inconvénient. Tout au contraire.

« Sales égoïstes ! » pensa Alice ; et elle s'apprêtait à leur dire : « Bonsoir » et à les laisser là, lorsque Bonnet Blanc bondit de sous le parapluie et la saisit au poignet.

— As-tu vu ça ? demanda-t-il d'une voix que la colère étouffait.

Et ses yeux jaunes se dilatèrent brusquement, tandis qu'il montrait d'un doigt tremblant une petite chose blanche sur l'herbe au pied de l'arbre.

— Ce n'est qu'une crécelle, répondit Alice, après avoir examiné soigneusement la petite chose blanche. Une vieille crécelle, toute vieille et toute brisée.

— J'en étais sûr ! cria Bonnet Blanc, en se mettant à trépigner comme un fou et à s'arracher les cheveux. Elle est brisée, naturellement !

Sur quoi, il regarda Blanc Bonnet qui, immédiatement, s'assit sur le sol, en essayant de se cacher derrière le parapluie.

Alice le prit par le bras et lui dit d'une voix apaisante :

— Vous n'avez pas besoin de vous mettre dans un état pareil pour une vieille crécelle.

— Mais elle n'est pas vieille ! cria Bonnet Blanc, plus furieux que jamais. Je te dis qu'elle est neuve... Je l'ai achetée hier... ma belle crécelle NEUVE ! (Et sa voix monta jusqu'à devenir un cri perçant.)

Pendant ce temps-là, Blanc Bonnet faisait tous ses efforts pour refermer le parapluie en se mettant dedans : ce qui sembla si extraordinaire à Alice qu'elle ne fit plus du tout attention à Bonnet Blanc. Mais Blanc Bonnet ne put réussir complètement dans son entreprise, et il finit par rouler sur le sol, tout empaqueté dans le parapluie d'où, seule, sa tête émergeait ; après quoi il resta là, ouvrant et refermant sa bouche et ses grands yeux, « ressemblant plutôt à un poisson qu'à autre chose », pensa Alice.

— Naturellement, nous allons vider cette querelle ? déclara Bonnet Blanc d'un ton plus calme.

— Je suppose que oui, répondit l'autre d'une voix maussade, en sortant du parapluie à quatre pattes. Seulement, il faut qu'elle nous aide à nous habiller.

Là-dessus, les deux frères entrèrent dans le bois, la main dans la main, et revinrent une minute après, les bras chargés de toutes sortes d'objets, tels que : traversins, couvertures, carpettes, nappes, couvercles de plats et seaux à charbon.

— J'espère que tu sais comment t'y prendre pour poser des épingles et nouer des ficelles ? dit Bonnet Blanc. Tout ce qui est là, il faut que tu le mettes sur nous, d'une façon ou d'une autre.

Alice raconta par la suite qu'elle n'avait jamais vu personne faire tant d'embarras que les deux frères. Il est impossible d'imaginer à quel point ils s'agitèrent, et la quantité de choses qu'ils se mirent sur le dos, et le mal qu'ils lui donnèrent en lui faisant nouer des ficelles et boutonner des boutons... « Vraiment, lorsqu'ils seront prêts, ils ressembleront tout à fait à deux ballots de vieux habits ! pensa-t-elle, en arrangeant un traversin autour du cou de Blanc Bonnet, pour lui éviter d'avoir la tête coupée », prétendait-il.

— Vois-tu, ajouta-t-il très sérieusement, c'est une des choses les plus graves qui puissent arriver au cours d'une bataille : avoir la tête coupée.

Alice se mit à rire tout haut, mais elle réussit à transformer son rire en toux, de peur de froisser Blanc Bonnet.

— Est-ce que je suis très pâle ? demanda Bonnet Blanc, en s'approchant d'elle pour qu'elle lui mît son casque. (Il appelait cela un casque, mais cela ressemblait beaucoup plus à une casserole.)

— Ma foi... oui, un tout petit peu, répondit Alice doucement.

— En général je suis très courageux, continua-t-il à voix basse ; mais, aujourd'hui, il se trouve que j'ai mal à la tête.

— Et moi, j'ai mal aux dents ! s'exclama Blanc Bonnet, qui avait entendu cette réflexion. Je suis en bien plus mauvais état que toi !

— En ce cas, vous feriez mieux de ne pas vous battre aujourd'hui, fit observer Alice, qui pensait que c'était une bonne occasion de faire la paix.

— Il faut absolument que nous nous battions un peu, mais je ne tiens pas à ce que ça dure longtemps, déclara Bonnet Blanc. Quelle heure est-il ?

— Quatre heures et demie.

— Battons-nous jusqu'à six heures ; ensuite nous irons dîner, proposa Bonnet Blanc.

— Parfait, dit l'autre assez tristement. Et elle pourra nous regarder faire... Mais il vaudra mieux ne pas trop t'approcher, ajouta-t-il. En général je frappe sur tout ce que je vois... lorsque je suis très échauffé !

— Et moi, je frappe sur tout ce qui est à ma portée, s'écria Bonnet Blanc, même sur ce que je ne vois pas.

Alice se mit à rire.

— Je suppose que vous devez frapper sur les arbres assez souvent, dit-elle.

Bonnet Blanc regarda tout autour de lui en souriant de satisfaction.

— Je crois bien, déclara-t-il, que pas un seul arbre ne restera debout lorsque nous aurons fini.

— Et tout ça pour une crécelle ! s'exclama Alice, qui espérait encore leur faire un peu honte de se battre pour une pareille bagatelle.

— Ça m'aurait été égal, dit Bonnet Blanc, si elle n'avait pas été neuve.

« Je voudrais bien que l'énorme corbeau arrive ! » pensa Alice.

— Il n'y a qu'une épée, dit Bonnet Blanc à son frère ; mais tu peux prendre le parapluie... il est aussi pointu. Dépêchons-nous de commencer. Il fait de plus en plus sombre.

— Et encore plus sombre que ça, ajouta Blanc Bonnet.

L'obscurité tombait si rapidement qu'Alice crut qu'un orage se préparait.

— Quel gros nuage noir ! s'exclama-t-elle. Et comme il va vite ! Ma parole, je crois vraiment qu'il a des ailes !

— C'est le corbeau ! cria Bonnet Blanc d'une voix aiguë et terrifiée.

Là-dessus, les deux frères prirent leurs jambes à leur cou et disparurent en un moment.

Alice s'enfonça un peu dans le bois, puis elle s'arrêta sous un grand arbre. « Jamais il ne pourra m'atteindre ici, pensa-t-elle ; il est beaucoup trop gros pour se glisser entre les arbres. Mais je voudrais bien qu'il ne batte pas des ailes si violemment... ça fait comme un véritable ouragan dans le bois... Tiens ! voici le châle de quelqu'un qui a été emporté par le vent ! »

Chapitre 5
Laine et eau

Alice attrapa le châle et chercha du regard sa propriétaire. Un instant plus tard, la Reine Blanche arrivait dans le bois, courant comme une folle, les deux bras étendus comme si elle volait. Alice, très poliment, alla à sa rencontre pour lui rendre son bien.

— Je suis très heureuse de m'être trouvée là au bon moment, dit la fillette en l'aidant à remettre son châle.

La Reine Blanche se contenta de la regarder d'un air effrayé et désemparé, tout en se répétant à voix basse quelque chose qui ressemblait à : « Tartine de beurre, tartine de beurre ». Alice comprit alors qu'elle devait se charger d'entamer la conversation ; mais elle ne savait pas comment il fallait s'adresser à une Reine. Elle finit par dire, assez timidement :

— C'est bien à la Reine Blanche que j'ai l'honneur de parler ? Votre Majesté voudra-t-elle supporter mon abillage ?

— Mais je n'ai pas besoin de ton habillage ! répondit la Reine. Je ne vois pas pourquoi je le supporterais [1].

Jugeant qu'il serait maladroit de commencer l'entretien par une discussion, Alice se contenta de sourire, et poursuivit :

— Si Votre Majesté veut bien m'indiquer comment je dois m'y prendre, je le ferai de mon mieux.

— Mais, je ne veux pas du tout qu'on le fasse ! gémit la pauvre Reine. J'ai déjà consacré deux heures entières à mon habillage !

Alice pensa que la Reine aurait beaucoup gagné à se faire habiller par quelqu'un d'autre, tellement elle était mal fagotée. « Tout est complètement de travers, se dit-elle, et elle est bardée d'épingles ! »

— Puis-je vous remettre votre châle d'aplomb ? ajouta-t-elle à voix haute.

— Je me demande ce qu'il peut bien avoir ! s'exclama la Reine d'une voix mélancolique. Je crois qu'il est de mauvaise humeur. Je l'ai épinglé ici, et je l'ai épinglé là ; mais il n'y a pas moyen de le satisfaire !

— Il est impossible qu'il soit d'aplomb, si vous l'épinglez d'un seul côté, fit observer Alice, en lui arrangeant doucement son châle. Et, Seigneur ! dans quel état sont vos cheveux !

— La brosse à cheveux s'est em- mêlée dedans ! dit la Reine en poussant un profond soupir. Et j'ai perdu mon peigne hier.

Alice dégagea la brosse avec précaution, puis fit de son mieux pour arranger les cheveux.

— Allons ! vous avez meilleure allure à présent ! dit-elle, après avoir changé de place presque toutes les épingles. Mais, vraiment, vous devriez prendre une femme de chambre !

— Je te prendrais certainement avec le plus grand plaisir ! déclara la Reine. Cinq sous par semaine, et de la confiture tous les deux jours.

Alice ne put s'empêcher de rire et répondit :

— Je ne veux pas entrer à votre service... et je n'aime pas beaucoup la confiture.

— C'est de la très bonne confiture, insista la Reine.

— En tout cas, je n'en veux pas aujourd'hui.

— Tu n'en aurais pas, même si tu en voulais. La règle est la suivante : confiture demain et confiture hier... mais jamais de confiture aujourd'hui.

— Ça doit bien finir par arriver à : confiture aujourd'hui.

— Non, jamais. C'est : confiture tous les deux jours ; or aujourd'hui, c'est *un* jour, ça n'est pas *deux* jours.

— Je ne vous comprends pas. Tout cela m'embrouille les idées !

— C'est toujours ainsi lorsqu'on vit à reculons, fit observer la Reine d'un ton bienveillant. Au début cela vous fait tourner la tête...

— Lorsqu'on vit à reculons ! répéta Alice, stupéfaite. Je n'ai jamais entendu parler d'une chose pareille !

— ... mais cela présente un grand avantage : la mémoire opère dans les deux sens.

— Je suis certaine que ma mémoire à moi n'opère que dans un seul sens, affirma Alice. Je suis incapable de me rappeler les choses avant qu'elles n'arrivent.

— Une mémoire qui n'opère que dans le passé n'a rien de bien fameux, déclara la Reine.

— Et vous, quelles choses vous rappelez-vous le mieux ? osa demander Alice.

— Oh, des choses qui se sont passées dans quinze jours, répondit la Reine d'un ton négligent. Par exemple, en ce moment-ci, continua-t-elle, en collant un grand morceau de taffetas anglais sur son doigt tout en parlant, il y a l'affaire du Messager du Roi. Il se trouve actuellement en prison, parce qu'il est puni ; or le procès ne commencera pas avant mercredi prochain ; et, naturellement, il commettra son crime après tout le reste.

— Et s'il ne commettait jamais son crime ? demanda Alice.

— Alors tout serait pour le mieux, n'est-ce pas ? répondit la Reine, en fixant le taffetas anglais autour de son doigt avec un bout de ruban.

Alice sentit qu'il était impossible de nier cela.

— Bien sûr, ça n'en irait que mieux, dit-elle. Mais ce qui n'irait pas mieux, c'est qu'il soit puni.

— Là, tu te trompes complètement. As-tu jamais été punie ?

— Oui, mais uniquement pour des fautes que j'avais commises.

— Et je sais que tu ne t'en trouvais que mieux ! affirma la Reine d'un ton de triomphe.

— Oui, mais j'avais vraiment fait les choses pour lesquelles j'étais punie. C'est complètement différent.

— Mais si tu ne les avais pas eu faites, ç'aurait été encore bien mieux ; bien mieux, bien mieux, bien mieux ! (Sa voix monta à chaque « bien mieux », jusqu'à ne plus être qu'un cri perçant.)

Alice venait de commencer à dire : « Il y a une erreur quelque part... » lorsque la Reine se mit à hurler si fort qu'elle ne put achever sa phrase.

— Oh, oh, oh ! cria-t-elle en secouant la main comme si elle avait voulu la détacher de son bras. Mon doigt saigne ! oh, oh, oh, oh !

Ses cris ressemblaient si exactement au sifflet d'une locomotive qu'Alice dut se boucher les deux oreilles.

— Mais qu'avez-vous donc ? demanda-t-elle, dès qu'elle put trouver l'occasion de se faire entendre. Vous êtes-vous piqué le doigt ?

— Je ne me le suis pas *encore* piqué, répondit la Reine, mais je vais me le piquer bientôt... oh, oh, oh !

— Quand cela va-t-il vous arriver ? demanda Alice, qui avait grande envie de rire.

— Quand je fixerai de nouveau mon châle avec ma broche, gémit la pauvre Reine, la broche s'ouvrira immédiatement. Oh, oh ! Comme elle disait ces mots, la broche s'ouvrit brusquement, et la Reine la saisit d'un geste frénétique pour essayer de la refermer.

— Faites attention ! cria Alice. Vous la tenez tout de travers !

Elle saisit la broche à son tour ; mais il était trop tard : l'épingle avait glissé, et la Reine s'était piqué le doigt.

— Vois-tu, cela explique pourquoi je saignais tout à l'heure, dit-elle à Alice en souriant. Maintenant tu comprendras comment les choses se passent ici.

— Mais pourquoi ne criez-vous pas ? demanda Alice, tout en s'apprêtant à se boucher les oreilles de ses mains une deuxième fois.

— Voyons, j'ai déjà poussé tous les cris que j'avais à pousser, répondit la Reine. A quoi cela servirait-il de tout recommencer ?

A présent, il faisait jour de nouveau.

— Je suppose que le corbeau a dû s'envoler, dit Alice. Je suis si contente qu'il soit parti. Quand il est arrivé, j'ai cru que c'était la nuit qui tombait.

— Comme je voudrais pouvoir être contente ! s'exclama la Reine. Seulement, voilà, je ne peux pas me rappeler la règle qu'il faut appliquer. Tu dois être très heureuse de vivre dans ce bois et d'être contente chaque fois que ça te plaît !

— Malheureusement je me sens si seule ici ! déclara Alice d'un ton mélancolique. (Et, à l'idée de sa solitude, deux grosses larmes roulèrent sur ses joues.)

— Oh, je t'en supplie, arrête ! s'écria la pauvre Reine en se tordant les mains de désespoir. Pense que tu es une grande fille. Pense au chemin que tu as parcouru aujourd'hui. Pense à l'heure qu'il est. Pense à n'importe quoi, mais ne pleure pas !

En entendant cela, Alice ne put s'empêcher de rire à travers ses larmes.

— Etes-vous capable de vous empêcher de pleurer en pensant à certaines choses ? demanda-t-elle.

— Mais, bien sûr, c'est ainsi qu'il faut s'y prendre, répondit la Reine d'un ton péremptoire. Vois-tu, personne ne peut faire deux choses à la fois. D'abord, pensons à ton âge... quel âge as-tu ?

— J'ai sept ans. Réellement, j'ai sept ans et demi.

— Inutile de dire : « réellement »*. Je te crois. Et maintenant voici ce que tu dois croire, toi : j'ai exactement cent un ans, cinq mois, et un jour.

— Je ne peux pas croire cela ! s'exclama Alice.

— Vraiment ? dit la Reine d'un ton de pitié. Essaie de nouveau : respire profondément et ferme les yeux.

Alice se mit à rire.

— Inutile d'essayer, répondit-elle : on ne peut pas croire des choses impossibles.

— Je suppose que tu manques d'entraînement. Quand j'avais ton âge, je m'exerçais à cela une demi-heure par jour. Il m'est arrivé quelquefois de croire jusqu'à six choses impossibles avant le petit déjeuner. Voilà mon châle qui s'en va de nouveau !

La broche s'étant défaite pendant que la Reine parlait, un coup de vent soudain avait emporté son châle de l'autre côté d'un petit ruisseau. Elle étendit de nouveau les bras, et, cette fois, elle réussit à l'attraper toute seule.

— Je l'ai ! s'écria-t-elle d'un ton triomphant. Maintenant, je vais l'épingler moi-même, tu vas voir !

— En ce cas, je suppose que votre doigt va mieux ? dit Alice très poliment, en traversant le petit ruisseau pour la rejoindre.

— Oh ! beaucoup mieux, ma belle ! cria la Reine dont la voix se fit de plus en plus aiguë à mesure qu'elle continuait :

— Beaucoup mieux, ma belle ! ma bê-êlle ! bê-ê-ê-lle ! bê-ê-êh !

Le dernier mot fut un long bêlement qui ressemblait tellement à celui d'un mouton qu'Alice sursauta[k].

Elle regarda la Reine qui lui sembla s'être brusquement enveloppée de laine. Alice se frotta les yeux, puis regarda de nouveau, sans arriver à comprendre le moins du monde ce qui s'était passé.

Etait-elle dans une boutique ? Et était-ce vraiment... était-ce vraiment une Brebis qui se trouvait assise derrière le comptoir ? Elle eut beau se frotter les yeux, elle ne put rien voir d'autre : elle était bel et bien dans une petite boutique sombre, les coudes sur le comptoir, et, en face d'elle, il y avait bel et bien une vieille Brebis, en train de tricoter, assise

dans un fauteuil, qui s'interrompait de temps à autre pour regarder Alice derrière une paire de grosses lunettes.

— Que désires-tu acheter ? demanda enfin la Brebis, en levant les yeux de sur son tricot.

— Je ne suis pas tout à fait décidée, répondit Alice très doucement. J'aimerais bien, si je le pouvais, regarder d'abord tout autour de moi.

— Tu peux regarder devant toi, et à ta droite et à ta gauche, si tu veux ; mais tu ne peux pas regarder tout autour de toi... à moins que tu n'aies des yeux derrière la tête.

Or, il se trouvait qu'Alice n'avait pas d'yeux derrière la tête. Aussi se contenta-t-elle de faire demi--tour et d'examiner les rayons à mesure qu'elle en approchait.

La boutique semblait pleine de toutes sortes de choses curieuses..., mais ce qu'il y avait de plus bizarre, c'est que chaque fois qu'elle regardait fixement un rayon pour bien voir ce qui se trouvait dessus, ce même rayon était complètement vide, alors que tous les autres étaient pleins à craquer.

« Les choses courent vraiment bien vite ici ! dit-elle enfin d'un ton plaintif, après avoir passé plus d'une minute à poursuivre en vain un gros objet brillant qui ressemblait tantôt à une poupée, tantôt à une boîte à ouvrage, et qui se trouvait toujours sur le rayon juste au-dessus de celui qu'elle était en train de regarder. Et celle-ci est la plus exaspérante de toutes... Mais voici ce que je vais faire..., ajouta-t-elle, tandis qu'une idée lui venait brusquement à l'esprit, ... je vais la suivre jusqu'au dernier rayon. Je suppose qu'elle sera très embarrassée pour passer à travers le plafond ! »

Ce projet échoua, lui aussi : la « chose » traversa le plafond le plus aisément du monde, comme si elle avait une grande habitude de cet exercice.

— Es-tu une enfant ou un toton ? demanda la

Brebis en prenant une autre paire d'aiguilles. Tu vas finir par me donner le vertige si tu continues à tourner ainsi.

(Elle travaillait à présent avec quatorze paires d'aiguilles à la fois, et Alice ne put s'empêcher de la regarder d'un air stupéfait.)

« Comment diable peut-elle tricoter avec tant d'aiguilles ? pensa la fillette tout intriguée. Plus elle va, plus elle ressemble à un porc-épic ! »

— Sais-tu ramer ? demanda la Brebis, en lui tendant une paire d'aiguilles.

— Oui, un peu... mais pas sur le sol... et pas avec des aiguilles..., commença Alice.

Mais voilà que, brusquement, les aiguilles se transformèrent en rames dans ses mains, et elle s'aperçut que la Brebis et elle se trouvaient dans une petite barque en train de glisser entre deux rives ; de sorte que tout ce qu'elle put faire, ce fut de ramer de son mieux.

— Plume ! cria la Brebis, en prenant une autre paire d'aiguilles.

Cette exclamation ne semblant pas appeler une réponse, Alice garda le silence et continua à souquer ferme. Elle avait l'impression qu'il y avait quelque chose de très bizarre dans l'eau, car, de temps à autre, les rames s'y coinçaient solidement, et c'est tout juste si elle pouvait parvenir à les dégager.

— Plume ! Plume ! cria de nouveau la Brebis, en prenant d'autres aiguilles. Tu ne vas pas tarder à attraper un crabe.

« Un amour de petit crabe ! pensa Alice. Comme j'aimerais ça ! »

— Ne m'as-tu pas entendu dire : « Plume » ? cria la Brebis d'une voix furieuse, en prenant tout un paquet d'aiguilles.

— Si fait, répliqua Alice ; vous l'avez dit très souvent... et très fort. S'il vous plaît, où donc sont les crabes ?

— Dans l'eau, naturellement ! répondit la Brebis en s'enfonçant quelques aiguilles dans les cheveux, car elle avait les mains trop pleines. Plume, encore une fois !

— Mais pourquoi dites-vous : « Plume » si souvent ? demanda Alice, un peu contrariée. Je ne suis pas un oiseau !

— Si fait, rétorqua la Brebis ; tu es une petite oie.

Cela ne manqua pas de blesser Alice, et, pendant une ou deux minutes, la conversation s'arrêta, tandis que la barque continuait à glisser doucement, parfois au milieu d'herbes aquatiques (et alors les rames se coinçaient dans l'eau plus que jamais), parfois encore sous des arbres, mais toujours entre deux hautes rives sourcilleuses qui se dressaient au-dessus des passagères.

— Oh, je vous en prie ! Il y a des joncs fleuris ! s'écria Alice dans un brusque transport de joie. C'est bien vrai... ils sont absolument magnifiques !

— Inutile de me dire : « je vous en prie », à moi, à propos de ces joncs, dit la Brebis, sans lever les yeux de sur son tricot. Ce n'est pas moi qui les ai mis là, et ce n'est pas moi qui vais les enlever.

— Non, bien sûr, mais je voulais dire... Je vous en prie, est-ce qu'on peut attendre un moment pour que j'en cueille quelques-uns ? Est-ce que ça vous serait égal d'arrêter la barque pendant une minute ?

— Comment veux-tu que je l'arrête, moi ? Tu
n'as qu'à cesser de ramer, elle s'arrêtera toute seule.

Alice laissa la barque dériver au fil de l'eau
jusqu'à ce qu'elle vînt glisser tout doucement au
milieu des joncs qui se balançaient au souffle de la
brise. Alors, les petites manches furent soigneusement roulées et remontées, les petits bras plon-
gèrent dans l'eau jusqu'aux coudes pour saisir les
joncs aussi bas que possible avant d'en briser la
tige... et, pendant un bon moment, Alice oublia

complètement la Brebis et son tricot, tandis qu'elle se penchait par-dessus le bord de la barque, le bout de ses cheveux emmêlés trempant dans l'eau, les yeux brillants de convoitise, et qu'elle cueillait à poignées les adorables joncs fleuris.

« J'espère simplement que la barque ne va pas chavirer ! se dit-elle. Oh ! celui-là ! comme il est beau ! Malheureusement je n'ai pas pu l'attraper. » Et c'était une chose vraiment contrariante (« on croirait que c'est fait exprès », pensa-t-elle) de voir que, si elle arrivait à cueillir des quantités de joncs magnifiques, il y en avait toujours un, plus beau que tous les autres, qu'elle ne pouvait atteindre.

« Les plus jolis sont toujours trop loin de moi ! » finit-elle par dire avec un soupir de regret, en voyant que les joncs s'entêtaient à pousser si loin. Puis, les joues toutes rouges, les cheveux et les mains dégouttants d'eau, elle se rassit à sa place et se mit à arranger les trésors qu'elle venait de trouver.

Les joncs avaient commencé à se faner, à perdre leur parfum et leur beauté, au moment même où elle les avait cueillis : mais elle ne s'en soucia pas le moins du monde. Voyez-vous, même des vrais joncs ne durent que très peu de temps, et ceux-ci, étant des joncs de rêve, se fanaient aussi vite que la neige fond au soleil, entassés aux pieds d'Alice : mais c'est tout juste si elle s'en aperçut, car elle avait à réfléchir à beaucoup d'autres choses fort curieuses.

La barque n'était pas allée très loin lorsque la pale d'une des rames se coinça dans l'eau et refusa d'en sortir (c'est ainsi qu'Alice expliqua l'incident par la suite). Puis la poignée de la rame la frappa sous le menton et, malgré une série de petits cris que la pauvre enfant se mit à pousser, elle fut balayée de sur son siège et tomba de tout son long sur le tas de joncs.

Elle ne se fit pas le moindre mal, et se releva presqu'aussitôt. Pendant tout ce temps-là, la Brebis avait continué à tricoter, exactement comme si rien ne s'était passé.

— Tu avais attrapé un bien joli crabe tout à l'heure ! dit-elle, tandis qu'Alice se rasseyait à sa place, fort soulagée de se trouver encore dans la barque.

— Vraiment ? je ne l'ai pas vu, répondit la fillette en regardant prudemment l'eau sombre de la rivière. Je regrette qu'il soit parti... J'aimerais tellement rapporter un petit crabe à la maison !

Mais la Brebis se contenta de rire avec mépris, tout en continuant de tricoter.

— Y a-t-il beaucoup de crabes par ici ? demanda Alice.

— Il y a des crabes et toutes sortes de choses, répondit la Brebis. Tu n'as que l'embarras du choix, mais il faudrait te décider. Voyons, que veux-tu acheter ?

— Acheter ! répéta Alice, d'un ton à la fois surpris et effrayé, car les rames, la barque, et la rivière, avaient disparu en un instant, et elle se trouvait de nouveau dans la petite boutique sombre.

— S'il vous plaît, je voudrais bien acheter un œuf reprit-elle timidement. Combien les vendez-vous ?

— Dix sous pièce, et quatre sous les deux, répondit la Brebis.

— En ce cas, deux œufs coûtent moins cher qu'un seul ? demanda Alice d'un ton étonné, en prenant son porte-monnaie.

— Oui, mais si tu en achètes deux, tu es obligée de les manger tous les deux, répondit la Brebis.

— Alors, je n'en prendrai qu'un, s'il vous plaît, dit Alice en posant l'argent sur le comptoir. Après tout, peut-être qu'ils ne sont pas tous très frais.

La Brebis ramassa l'argent et le rangea dans une boîte ; puis, elle déclara :

— Je ne mets jamais les choses dans les mains des gens... ça ne serait pas à faire... Il faut que tu prennes l'œuf toi-même.

Sur ces mots, elle alla au fond de la boutique, et mit l'œuf tout droit sur l'un des rayons.

« Je me demande pourquoi ça ne serait pas à faire », pensa Alice, en se frayant un chemin à tâtons parmi les tables et les chaises, car le fond de la boutique était très sombre. « A mesure que j'avance vers l'œuf, on dirait qu'il s'éloigne. Voyons, est-ce bien une chaise ? Mais, ma parole, elle a des branches ! Comme c'est bizarre de trouver des arbres ici ! Et il y a bel et bien un petit ruisseau ! Vraiment, c'est la boutique la plus extraordinaire que j'aie jamais vue de ma vie ! »

Elle continua d'avancer, de plus en plus surprise à chaque pas car tous les objets devenaient des arbres lorsqu'elle arrivait à leur hauteur, et elle était sûre que l'œuf allait en faire autant.

Chapitre 6
Le Gros Coco[1]

Mais l'œuf se contenta de grossir et de prendre de plus en plus figure humaine. Lorsque Alice fut arrivée à quelques mètres de lui, elle vit qu'il avait des yeux, un nez, et une bouche ; et, lorsqu'elle fut tout près de lui, elle comprit que c'était LE GROS COCO en personne. « Il est impossible que ce soit quelqu'un d'autre ! pensa-t-elle. J'en suis aussi sûre que si son nom était écrit sur son visage ! »

On aurait pu facilement l'écrire cent fois sur cette énorme figure. Le Gros Coco était assis, les jambes croisées, à la turque, sur le faîte d'un mur très haut (si étroit qu'Alice se demanda comment il pouvait garder son équilibre). Comme il avait les yeux obstinément fixés dans la direction opposée et comme il ne faisait pas la moindre attention à la fillette, elle pensa qu'il devait être empaillé.

— Comme il ressemble exactement à un œuf ! dit-elle à haute voix, tout en tendant les mains pour l'attraper, car elle s'attendait à le voir tomber d'un moment à l'autre.

— C'est vraiment contrariant, déclara le Gros Coco après un long silence, toujours sans regarder Alice, d'être traité d'œuf..., extrêmement contrariant !

— J'ai dit que vous ressembliez à un œuf, monsieur, expliqua Alice très gentiment. Et il y a des œufs qui sont fort jolis, ajouta-t-elle, dans l'espoir de transformer sa remarque en une espèce de compliment.

— Il y a des gens, poursuivit le Gros Coco, en continuant à ne pas la regarder, qui n'ont pas plus de bon sens qu'un nourrisson !

Alice ne sut que répondre. Elle trouvait que ceci ne ressemblait pas du tout à une conversation, étant donné qu'il ne lui disait jamais rien directement (en fait sa dernière remarque s'adressait de toute évidence à un arbre). Elle resta donc sans bouger et se récita à voix basse les vers suivants :

Le Gros Coco était assis dessus un mur ;
Le Gros Coco tomba de haut sur le sol dur ;
Tous les chevaux du Roi, tous les soldats du Roi,
N'ont pu relever le Gros Coco et le remettre droit[1].

— Le dernier vers est trop long par rapport aux autres, ajouta-t-elle presque à haute voix, en oubliant que le Gros Coco allait l'entendre.

1. Poésie enfantine anglaise.

— Ne reste pas là à jacasser toute seule, dit le Gros Coco en la regardant pour la première fois, mais apprends-moi ton nom et ce que tu viens faire ici.

— Mon nom est Alice, mais...

— En voilà un nom stupide ! déclara le Gros Coco d'un ton impatienté. Que veut-il dire ?

— Est-ce qu'il faut vraiment qu'un nom veuille dire quelque chose ? demanda Alice d'un ton de doute.

— Naturellement, répondit le Gros Coco avec un rire bref. Mon nom, à moi, veut dire quelque chose ; il indique la forme que j'ai, et c'est une très belle forme, d'ailleurs. Mais toi, avec un nom comme le tien, tu pourrais avoir presque n'importe quelle forme.

— Pourquoi restez-vous assis tout seul sur ce mur ? demanda Alice qui ne voulait pas entamer une discussion.

— Mais, voyons, parce qu'il n'y a personne avec moi ! s'écria le Gros Coco. Croyais-tu que j'ignorais la réponse à cette question ? Demande-moi autre chose !

— Ne croyez-vous pas que vous seriez plus en sécurité sur le sol ? continua Alice, non pas dans l'intention de poser une devinette, mais simplement parce qu'elle avait bon cœur et qu'elle s'inquiétait au sujet de la bizarre créature. Ce mur est étroit !

— Tu poses des devinettes d'une facilité extraordinaire ! grogna le Gros Coco. Bien sûr que je ne le crois pas ! Voyons, si jamais je venais à tomber du haut de ce mur... ce qui est tout à fait improbable... mais, enfin, en admettant que j'en tombe... (A ce moment, il se pinça les lèvres, et prit un air si grave et si majestueux qu'Alice eut beaucoup de mal à s'empêcher de rire.) En admettant que j'en tombe, continua-t-il, *le Roi m'a promis*... Ah ! tu peux pâlir, si tu veux. Tu ne te doutais pas que j'allais dire cela, n'est-ce pas ? *Le Roi m'a promis... de sa propre bouche... de... de...*

— D'envoyer tous ses chevaux et tous ses soldats, interrompit Alice assez imprudemment.

— Ah, par exemple ! c'est trop fort ! s'écria le Gros Coco en se mettant brusquement en colère. Tu as dû écouter aux portes... et derrière les arbres... et par les cheminées... sans quoi tu n'aurais pas pu savoir ça !

— Je vous jure que non ! dit Alice d'une voix douce. Je l'ai lu dans un livre.

— Ah, bon ! En effet, on peut écrire des choses de ce genre dans un livre, admit le Gros Coco d'un ton plus calme. C'est ce qu'on appelle une Histoire de l'Angleterre. Regarde-moi bien, petite ! Je suis celui à qui un Roi a parlé, moi ; peut-être ne verras-tu jamais quelqu'un comme moi ; et pour bien te montrer que je ne suis pas fier, je te permets de me serrer la main !

Là-dessus, il sourit presque d'une oreille à l'autre (en se penchant tellement en avant qu'il s'en fallait de rien qu'il ne tombât de sur le mur), et tendit la main à Alice. Elle la prit, tout en le regardant d'un air anxieux. « S'il souriait un tout petit peu plus, les coins de sa bouche se rencontreraient par-derrière, pensa-t-elle ; et, en ce cas, je me demande ce qui arriverait à sa tête ! Je crois bien qu'elle tomberait ! »

— Oui, tous ses chevaux et tous ses soldats, continua le Gros Coco. Sûr et certain qu'ils me relèveraient en un moment ! Mais cette conversation va un peu trop vite ; revenons à notre avant-dernière remarque.

— Je crains de ne pas m'en souvenir très bien, dit Alice poliment.

— En ce cas, nous pouvons recommencer, et c'est à mon tour de choisir un sujet... (« Il parle toujours comme s'il s'agissait d'un jeu ! » pensa Alice.) Voici une question à laquelle tu dois répondre : Quel âge as-tu dit que tu avais ?

Alice calcula pendant un instant, et répondit :

— Sept ans et six mois.

— C'est faux ! s'exclama le Gros Coco d'un ton

triomphant. Tu ne m'as jamais dit un mot au sujet de ton âge.

— Je croyais que vous vouliez dire : « Quel âge as-tu ? »

— Si j'avais voulu le dire, je l'aurais dit.

Alice garda le silence, car elle ne voulait pas entamer une autre discussion.

— Sept ans et six mois, répéta le Gros Coco d'un ton pensif. C'est un âge bien incommode. Vois-tu, si tu m'avais demandé conseil, à moi, je t'aurais dit : « Arrête-toi à sept ans... » Mais, à présent, il est trop tard.

— Je ne demande jamais de conseil au sujet de ma croissance, déclara Alice d'un air indigné.

— Tu es trop fière ? demanda l'autre.

Alice fut encore plus indignée en entendant ces mots.

— Je veux dire, expliqua-t-elle, qu'un enfant ne peut pas s'empêcher de grandir.

— *Un* enfant, peut-être ; mais deux enfants, oui. Si on t'avait aidée comme il faut, tu aurais pu t'arrêter à sept ans.

— Quelle belle ceinture vous avez ! dit Alice tout d'un coup. (Elle jugeait qu'ils avaient suffisamment parlé de son âge ; et, s'ils devaient vraiment choisir un sujet chacun à leur tour, c'était son tour à elle, à présent.) Du moins, continua-t-elle en se reprenant après un moment de réflexion, c'est une belle cravate j'aurais dû dire... non, plutôt une ceinture... Oh ! je vous demande bien pardon ! s'exclama-t-elle, toute consternée, car le Gros Coco avait l'air extrêmement vexé ; et elle commença à regretter d'avoir choisi un pareil sujet. (« Si je savais seulement, pensa-t-elle, ce qui est la taille et ce qui est le cou ! »)

Le Gros Coco était manifestement furieux. Toutefois, il garda le silence pendant deux bonnes minutes. Lorsqu'il parla de nouveau, ce fut d'une voix basse et grondante.

— C'est une chose vrai-ment ex-as-pé-ran-te, dit-il, de voir que certaines personnes sont incapables de distinguer une cravate d'une ceinture.

— Je sais que je me suis montrée très ignorante, répondit Alice d'un ton si humble que le Gros Coco s'adoucit.

— C'est une cravate, mon enfant, et une très belle cravate, comme tu l'as fait remarquer toi-même. C'est un cadeau du Roi Blanc et de la Reine Blanche. Que penses-tu de ça ?

— Vraiment ? dit Alice, tout heureuse de voir qu'elle avait choisi un bon sujet de conversation.

— Ils me l'ont donnée, continua le Gros Coco d'un ton pensif, en croisant les jambes et en prenant un de ses genoux à deux mains, comme cadeau de non-anniversaire.

— Je vous demande pardon ? dit Alice, très intriguée.

— Tu ne m'as pas offensé, répondit le Gros Coco.

— Je veux dire : qu'est-ce que c'est qu'un cadeau de non-anniversaire ?

— C'est un cadeau qu'on vous donne quand ce n'est pas votre anniversaire.

Alice réfléchit un moment.

— Je préfère les cadeaux d'anniversaire, déclara-t-elle enfin.

— Tu ne sais pas ce que tu dis ! s'écria le Gros Coco. Combien de jours y a-t-il dans l'année ?

— Trois cent soixante-cinq.

— Et combien d'anniversaires as-tu ?

— Un seul.

— Et si tu ôtes un de trois cent soixante-cinq que reste-t-il ?

— Trois cent soixante-quatre, naturellement.

Le Gros Coco prit un air de doute.

— J'aimerais mieux voir ça écrit sur du papier, déclara-t-il.

Alice ne put s'empêcher de sourire, tout en prenant son carnet et en faisant la soustraction.

$$\begin{array}{r} 365 \\ -\ 1 \\ \hline 364 \end{array}$$

Le Gros Coco prit le carnet, et regarda très attentivement.

— Ça me paraît très bien..., commença-t-il.

— Vous tenez le carnet à l'envers ! s'exclama Alice.

— Ma parole, mais c'est vrai ! dit gaiement le Gros Coco, tandis qu'elle tournait le carnet dans le bon sens. Ça m'avait l'air un peu bizarre... Comme je le disais, ça me *paraît très bien*... quoique je n'aie pas le temps de vérifier... et ça te montre qu'il y a trois cent soixante-quatre jours où tu pourrais recevoir des cadeaux de non-anniversaire...

— Bien sûr.

— Et un seul jour pour les cadeaux d'anniversaire. Voilà de la gloire pour toi !

— Je ne sais pas ce que vous voulez dire par là.

Le Gros Coco sourit d'un air méprisant :

— Naturellement. Tu ne le sauras que lorsque je te l'aurais expliqué. Je voulais dire : « Voilà un bel argument sans réplique ! »

— Mais : « gloire », ne signifie pas : « un bel argument sans réplique ! »

— Quand, moi, j'emploie un mot, déclara le Gros Coco d'un ton assez dédaigneux, il veut dire exactement ce qu'il me plaît qu'il veuille dire... ni plus ni moins.

— La question est de savoir si vous pouvez obliger les mots à vouloir dire des choses différentes.

— La question est de savoir qui sera le maître, un point c'est tout.

Alice fut beaucoup trop déconcertée pour ajouter quoi que ce fût. Aussi, au bout d'un moment, le Gros Coco reprit :

— Il y en a certains qui ont un caractère impossible... surtout les verbes, ce sont les plus orgueilleux... Les adjectifs, on en fait tout ce qu'on veut, mais pas les verbes... Néanmoins je m'arrange pour les dresser tous tant qu'ils sont, moi ! Impénétrabilité ! Voilà ce que je dis, moi !

— Voudriez-vous m'apprendre, je vous prie, ce que cela signifie ? demanda Alice.

— Voilà qui est parler en enfant raisonnable, dit le Gros Coco d'un air très satisfait. Par « impénétrabilité », je veux dire que nous avons assez parlé sur ce sujet, et qu'il vaudrait mieux que tu m'apprennes ce que tu as l'intention de faire maintenant, car je suppose que tu ne tiens pas à rester ici. jusqu'à la fin de tes jours.

— C'est vraiment beaucoup de choses que vous faites dire à un seul mot, fit observer Alice d'un ton pensif.

— Quand je fais beaucoup travailler un mot, comme cette fois-ci, déclara le Gros Coco, je le paie toujours beaucoup plus.

— Oh ! s'exclama Alice, qui était beaucoup trop stupéfaite pour ajouter autre chose.

— Ah ! faudrait que tu les voies venir autour de moi le samedi soir, continua le Gros Coco en balançant gravement la tête de gauche à droite et de droite à gauche ; pour qu'y touchent leur paye, vois-tu.

(Alice n'osa pas lui demander avec quoi il les payait ; c'est pourquoi je suis incapable de vous l'apprendre.)

— Vous avez l'air d'être très habile pour expliquer les mots, monsieur, dit-elle. Voudriez-vous être assez aimable pour m'expliquer ce que signifie le poème « Jabberwocky » ?

— Récite-le moi. Je peux expliquer tous les poèmes qui ont été inventés jusqu'aujourd'hui..., et un tas d'autres qui n'ont pas encore été inventés.

Ceci paraissait très réconfortant ; aussi Alice récita la première strophe :

> *Il était grilheure ; les slictueux toves*
> *Gyraient sur l'alloinde et vriblaient ;*
> *Tout flivoreux allaient les borogoves ;*
> *Les verchons fourgus bourniflaient.*

— Ça suffit pour commencer, déclara le Gros Coco. Il y a tout plein de mots difficiles là-dedans. « Grilheure », c'est six heures du soir, l'heure où on commence à faire *griller* de la viande pour le dîner.

— Ça me semble parfait. Et « slictueux ? »

— Eh bien, « slictueux » signifie : « souple, actif, onctueux. » Vois-tu, c'est comme une valise : il y a trois sens empaquetés en un seul mot.

— Je comprends très bien maintenant, répondit Alice d'un ton pensif. Et qu'est-ce que les « toves » ?

— Eh bien, les « toves » ressemblent en partie à des blaireaux, en partie à des lézards et en partie à des tire-bouchons.

— Ce doit être des créatures bien bizarres !

— Pour ça, oui ! Je dois ajouter qu'ils font leur nid sous les cadrans solaires, et qu'ils se nourrissent de fromage.

— Et que signifient « gyrer » et « vribler » ?

— « Gyrer », c'est tourner en rond comme un gyroscope. « Vribler », c'est faire des trous comme une vrille ».

— Et « l'alloinde, » je suppose que c'est l'allée qui part du cadran solaire ? dit Alice, toute surprise de sa propre ingéniosité.

— Naturellement. Vois-tu, on l'appelle « l'alloinde », parce que c'est une allée qui s'étend loin devant et loin derrière le cadran solaire... Quant à « flivoreux », cela signifie : « frivole et malheureux » (encore une valise). Le « borogove » est un oiseau tout maigre, d'aspect minable, avec des plumes hérissées dans tous les sens : quelque chose comme un balai en tresses de coton qui serait vivant.

— Et les « verchons fourgus ? » Pourriez-vous
m'expliquer cela ? du moins, si ce n'est pas trop demander...

— Ma foi, un « verchon » est une espèce de
cochon vert ; mais, pour ce qui est de « fourgus », je
ne suis pas très sûr. Je crois que ça doit vouloir
dire : « fourvoyés, égarés, perdus ».

— Et que signifie « bournifler » ?

— Eh bien, « bournifler », c'est quelque chose

entre « beugler » et « siffler », avec, au milieu, une espèce d'éternuement. Mais tu entendras peut-être bournifler, là-bas, dans le bois ; et quand tu auras entendu un seul bourniflement, je crois que tu seras très satisfaite. Qui t'a récité des vers si difficiles ?

— Je les ai lus dans un livre. Mais quelqu'un m'a récité des vers beaucoup plus faciles que ceux-là... je crois que c'était... Bonnet Blanc.

— Pour ce qui est de réciter des vers, déclara le Gros Coco, en tendant une de ses grandes mains, moi, je peux réciter des vers aussi bien que n'importe qui, si c'est nécessaire...

— Oh, mais ce n'est pas du tout nécessaire ! se hâta de dire Alice, dans l'espoir de l'empêcher de commencer.

— La poésie que je vais te réciter, continua-t-il sans faire attention à cette dernière réplique, a été écrite uniquement pour te distraire.

Alice sentit que, dans ce cas, elle devait vraiment écouter. Elle s'assit donc en murmurant : « Je vous remercie », d'un ton assez mélancolique.

Le Gros Coco débuta en ces termes :

« En hiver, quand les prés sont blancs,
Alors, je te chante ce chant... »

— Seulement, je ne le chante pas, expliqua-t-il.

— Je vois bien que vous ne le chantez pas, répondit Alice.

— Si tu es capable de *voir* si je chante ou si je ne chante pas, tu as des yeux beaucoup plus perçants que ceux de la plupart des gens, dit le Gros Coco d'un ton sévère.

Alice garda le silence.

« Au printemps, quand les bois s'animent,
Je te dirai à quoi il rime. »

— Je vous remercie beaucoup de votre amabilité,
déclara Alice.

« En été, quand les jours sont longs,
Tu comprends bien ma chanson.

En automne, où souffle le vent,
Tu la copieras noir sur blanc. »

— Je n'y manquerai pas, si je peux m'en souvenir
jusque-là, dit Alice.
— Inutile de continuer à faire des remarques de
ce genre, fit observer le Gros Coco ; elles n'ont
aucun sens, et elles me dérangent.
Puis, il poursuivit :

« J'ai envoyé un message aux poissons,
En leur disant d'obéir sans façons.

Les petits poissons du grand océan,
Ils m'ont répondu d'un ton insolent.

Voici ce qu'ils m'ont dit d'un ton très sec :
« Non, monsieur ; et si nous refusons, c'est que... »

— Je crains de ne pas très bien comprendre, dit
Alice.
— La suite est beaucoup plus facile, affirma le
Gros Coco :

J'ai dit : « Prenez le temps de réfléchir ;
Vous feriez beaucoup mieux de m'obéir. »

Mais ils m'ont répondu d'un air moqueur :
« Monsieur, ne vous mettez pas en fureur ! »

Deux fois je les ai fait admonester,
Mais ils ont refusé de m'écouter...

J'ai pris une bouilloire de fer-blanc
Qui me semblait convenir à mon plan.

Le cœur battant à coups désordonnés,
J'ai rempli la bouilloire au robinet.

Alors quelqu'un est venu et m'a dit :
« Tous les petits poissons sont dans leur lit. »

Je lui ai répondu très nettement :
« Il faut les réveiller, et prestement. »

Cela, bien fort je le lui ai crié ;
A son oreille je l'ai claironné.

La voix du Gros Coco monta jusqu'à devenir un cri aigu pendant qu'il récitait ces deux vers, et Alice pensa en frissonnant : « Je n'aurais pas voulu être le messager pour rien au monde ! »

Il prit un air saisi et mécontent,
Et dit : « Ne hurlez pas, je vous entends ! »

Il prit un air mécontent et saisi
Et dit : « J'irais bien les réveiller si... »

Alors j'ai pris un grand tire-bouchon,
Pour m'en aller réveiller les poissons.

Hélas ! la porte était fermée à clé ;
J'eus beau cogner, je ne pus m'en aller.

Comment pouvais-je sortir désormais ?
J'essayai de tourner la poignée, mais... »

Il y eut un long silence.

— Est-ce tout ? demanda Alice timidement.

— C'est tout, répondit le Gros Coco. Adieu.

Alice trouva que c'était une façon un peu brutale de se séparer ; mais, après une allusion si nette au fait qu'elle devait partir, elle sentit qu'il ne serait guère poli de rester. Elle lui tendit la main.

— Adieu, jusqu'à notre prochaine rencontre ! dit-elle aussi gaiement qu'elle le put.

— En admettant que nous nous rencontrions de nouveau, je ne te reconnaîtrais sûrement pas, déclara le Gros Coco d'un ton mécontent, en lui tendant un doigt à serrer. Tu ressembles tellement à tout le monde !

— Généralement, on reconnaît les gens à leur visage, murmura Alice d'un ton pensif.

— C'est justement de cela que je me plains, répliqua le Gros Coco. Ton visage est exactement le même que celui des autres... Les deux yeux ici... (Il indiqua leur place dans l'air avec son pouce)... le nez au milieu, la bouche sous le nez. C'est toujours pareil. Si tu avais les deux yeux du même côté du nez, par exemple... ou la bouche à la place du front... ça m'aiderait un peu.

— Ça ne serait pas joli, objecta Alice.

Mais le Gros Coco se contenta de fermer les yeux, en disant :

— Attends d'avoir essayé.

Alice resta encore une minute pour voir s'il allait continuer à parler ; mais, comme il gardait les yeux fermés et ne faisait plus du tout attention à elle, elle répéta : « Adieu ! » ; puis, ne recevant pas de réponse, elle s'en alla tranquillement. Mais elle ne put s'empêcher de murmurer, tout en marchant : « De tous les gens décevants que j'ai jamais rencontrés... » Elle n'arriva pas à terminer sa phrase, car, à ce moment, un fracas formidable ébranla la forêt d'un bout à l'autre.

Chapitre 7
Le Lion et la Licorne[1]

Un instant plus tard des soldats pénétraient sous les arbres au pas de course, d'abord par deux et par trois, puis par dix et par vingt, et, finalement, en si grand nombre qu'ils semblaient remplir toute la forêt. Alice se posta derrière un arbre, de peur d'être renversée, et les regarda passer.

Elle se dit qu'elle n'avait jamais vu des soldats si peu solides sur leurs jambes : ils trébuchaient tou-

---

1. Le lion est l'emblème de l'Angleterre ; la licorne celui de l'Écosse. Les deux pays furent longtemps en guerre l'un contre l'autre, et l'Angleterre (le lion) finit par triompher : peut-être est-il permis de voir une allusion à ce fait historique dans la petite poésie enfantine qu'on trouvera dans ce chapitre. Toutefois, s'il faut en croire Florence Becker Lennon, le lion représente Gladstone et la Licorne, Disraëli. Les deux hommes d'État se disputèrent longtemps le poste de Premier Ministre, mais la couronne n'en restait pas moins... au Roi ! (Cf. la réplique du Roi, page .... : « et ce qu'il y a de plus drôle, c'est que c'est toujours de ma couronne à moi qu'il s'agit ! ».)

jours sur un obstacle quelconque, et, chaque fois
que l'un d'eux tombait, plusieurs autres tombaient
sur lui, si bien que le sol fut bientôt couvert de
petits tas d'hommes étendus.

Puis vinrent les chevaux. Grâce à leurs quatre
pattes, ils s'en tiraient un peu mieux que les fantas-
sins ; mais, malgré tout, eux aussi trébuchaient de
temps en temps ; et, chaque fois qu'un cheval trébu-

chait, le cavalier ne manquait jamais de dégringoler. Comme le désordre ne cessait de croître, Alice fut tout heureuse d'arriver enfin à une clairière où elle trouva le Roi Blanc assis sur le sol, en train d'écrire avec ardeur sur son carnet.

— Je les ai tous envoyés en avant ! s'écria le Roi d'un ton ravi, dès qu'il aperçut Alice. Ma chère enfant, as-tu par hasard rencontré des soldats en traversant le bois ?

— Oui, répondit Alice ; je crois qu'il doit y en avoir plusieurs milliers.

— Il y en a exactement quatre mille deux cent sept, déclara le Roi en se reportant à son carnet. Je n'ai pas pu envoyer tous les chevaux, parce qu'il m'en faut deux pour la partie d'échecs. Et je n'ai pas non plus envoyé les deux Messagers qui sont partis à la ville. Regarde donc sur la route si l'un ou l'autre ne revient pas. Eh bien, que vois-tu ?

— Personne, répondit Alice.

— Je voudrais bien avoir des yeux comme les tiens, dit le Roi d'une voix chagrine. Etre capable de voir Personne ! Et à une si grande distance, par-dessus le marché ! Tout ce que je peux faire, moi, c'est de voir les gens qui existent réellement !

Tout ceci était perdu pour Alice qui, une main en abat-jour au-dessus de ses yeux, continuait à regarder attentivement sur la route.

— Je vois quelqu'un à présent ! s'exclama-t-elle enfin. Mais il avance très lentement, et il prend des attitudes vraiment bizarres !

(En effet, le Messager n'arrêtait pas de sauter en l'air et de se tortiller comme une anguille, chemin faisant, en tenant ses grandes mains écartées de chaque côté comme des éventails.)

— Pas du tout, dit le Roi. C'est un Messager anglo-saxon, et ses attitudes sont des attitudes anglo-saxonnes. Il ne se tient ainsi que lorsqu'il est heureux. Il s'appelle Haigha.

Alice ne put s'empêcher de commencer :

— J'aime mon ami par H parce qu'il est Heureux. Je déteste mon ami par H, parce qu'il est Hideux. Je le nourris de... de... de Hachis et d'Herbe[m]. Il s'appelle Haigha, et il vit...

— Il vit sur la Hauteur, continua le Roi très simplement (sans se douter le moins du monde qu'il prenait part au jeu, tandis qu'Alice cherchait encore le nom d'une ville commençant par H). L'autre Messager s'appelle Hatta[1]. Il m'en faut deux, voix-tu... pour aller et venir. Un pour aller, et un pour venir.

— Je vous demande pardon ?

— C'est très mal élevé de demander quelque chose sans ajouter : « s'il vous plaît ! »

— Je voulais dire que je n'avais pas compris. Pourquoi un pour aller et un pour venir ?

— Mais je suis en train de te l'expliquer ! s'écria le Roi d'un ton impatienté. Il m'en faut deux pour

---

1. D'après les illustrations de Tenniel, Haigha et Hatta ne seraient autres que le Lièvre de Mars et le Chapelier, sous des costumes différents. Il est à remarquer que Hatta porte le même chapeau que le Chapelier. Plus encore, son nom semble être manifestement une déformation du mot : « *Hatter* » = Chapelier. (D'ailleurs « *Hatter* » et « *Hatta* » se prononcent exactement de la même façon.) Enfin, il continue, comme on le verra plus loin, à boire du thé et à manger du pain beurré.

aller chercher les choses. Un pour aller, un pour chercher.

A ce moment, le Messager arriva. Beaucoup trop essoufflé pour pouvoir parler, il se contenta d'agiter les mains dans tous les sens et de faire au Roi les plus effroyables grimaces.

— Cette jeune personne t'aime par H, dit le Roi, dans l'espoir de détourner de lui l'attention du Messager.

Mais ce fut en vain : les attitudes anglo-saxonnes se firent de plus en plus extraordinaires, tandis que Haigha roulait ses gros yeux égarés de côté et d'autre.

— Tu m'inquiètes ! s'exclama le Roi. Je me sens défaillir... Donne-moi un sandwich au hachis !

Sur ce, le Messager, au grand amusement d'Alice, ouvrit un sac pendu autour de son cou et

tendit un sandwich au Roi qui le dévora avidement.

— Un autre sandwich ! demanda le Roi.

— Il ne reste que de l'herbe, à présent, répondit le Messager en regardant dans le sac.

— Eh bien, donne-moi de l'herbe, murmura le Roi d'une voix éteinte.

Alice fut tout heureuse de voir que l'herbe lui rendait beaucoup de forces.

— Il n'y a rien de tel que l'herbe quand on se sent défaillir, dit-il à Alice tout en mâchonnant à belles dents.

— Je croyais qu'il valait mieux qu'on vous jette de l'eau froide au visage, suggéra Alice..., ou bien qu'on vous fasse respirer des sels.

— Je n'ai pas dit qu'il n'y avait rien de *mieux*, répliqua le Roi. J'ai dit qu'il n'y avait rien de *tel*.

Ce qu'Alice ne se risqua pas à nier.

— Qui as-tu rencontré sur la route ? poursuivit le Roi, en tendant la main au Messager pour se faire donner encore un peu d'herbe.

— Personne.

— Tout à fait exact. Cette jeune fille l'a vu également. Ce qui prouve une chose : qui marche plus lentement que toi ? Personne !

— C'est faux, répliqua le Messager d'un ton maussade. C'est tout le contraire : qui marche plus vite que moi ? Personne !

— C'est impossible ! dit le Roi. Si Personne marchait plus vite que toi, il serait arrivé ici le premier... Quoi qu'il en soit, maintenant que tu as retrouvé ton souffle, raconte-nous un peu ce qui s'est passé en ville.

— Je vais le murmurer, dit le Messager en mettant ses mains en porte-voix et en se penchant pour être tout près de l'oreille du Roi.

Alice fut très déçue en voyant cela, car elle aussi voulait entendre la nouvelle. Mais, au lieu de murmurer, le Messager hurla de toutes ses forces :

— Ils sont encore en train de se bagarrer !

— C'est ça que tu appelles murmurer ! s'écria le pauvre Roi en sursautant et en se secouant. Si jamais tu recommences, je te ferai rouer de coups. Ça m'a traversé la tête comme un tremblement de terre !

« Il faudrait que ce soit un tremblement de terre minuscule ! » pensa Alice.

— Qui est-ce qui est en train de se bagarrer ? se risqua-t-elle à demander.

— Mais voyons, le Lion et la Licorne, bien sûr, répondit le Roi.

— Ils luttent pour la couronne ?

— Naturellement ; et ce qu'il y a de plus drôle dans cette affaire, c'est que c'est toujours de ma couronne à moi qu'il s'agit ! Courons vite, on va aller les voir !

Ils partirent, et, tout en courant, Alice se répétait les paroles de la vieille chanson :

Pour la couronne d'or et pour la royauté,
Le fier Lion livrait combat à la Licorne.
Elle fuit devant lui à travers la cité,
Sans jamais, toutefois, en dépasser les bornes.
Ils eurent du gâteau, du pain noir, du pain blanc ;
Puis, de la ville on les chassa tambour battant.

— Et... est-ce que... celui... qui gagne... obtient la couronne ? demanda-t-elle de son mieux, car elle était hors d'haleine à force de courir.

— Seigneur, non ! répondit le Roi. En voilà une idée !

— Voudriez-vous être assez bon... dit Alice d'une voix haletante, après avoir couru encore un peu, pour arrêter... une minute... juste pour... reprendre haleine ?

— Je suis assez bon, répliqua le Roi, mais je ne suis pas assez fort. Vois-tu, une minute passe beaucoup trop vite pour qu'on puisse l'arrêter. Autant vaudrait essayer d'arrêter un Bandersnatch[1] !

Alice n'ayant pas assez de souffle pour parler tous deux continuèrent, et ils arrivèrent enfin en vue d'une grande foule au milieu de laquelle le Lion et la Licorne se livraient bataille. Ils étaient entourés d'un tel nuage de poussière qu'Alice ne put tout d'abord distinguer les combattants ; mais bientôt, elle reconnut la Licorne à sa corne.

Alice et le Roi se placèrent tout près de l'endroit où Hatta, l'autre Messager, était debout en train de regarder le combat ; il tenait une tasse de thé d'une main et une tartine beurrée de l'autre.

— Il vient à peine de sortir de prison, et, le jour où on l'y a mis, il n'avait pas encore fini son thé, murmura Haigha à l'oreille d'Alice. Là-bas, on ne leur donne que des coquilles d'huîtres... C'est pour ça, vois-tu, qu'il a très faim et très soif... Comment vas-tu, mon cher enfant ? continua-t-il en passant son bras affectueusement autour du cou de Hatta.

1. Cf. « Jabberwocky », strophe 2, vers 4.

Hatta se retourna, fit un signe de tête, et continua à manger sa tartine beurrée.

— As-tu été heureux en prison, mon cher enfant ? demanda Haigha.

Hatta se retourna une seconde fois ; une ou deux larmes roulèrent sur ses joues, mais il refusa de dire un mot.

— Parle donc ! Tu sais parler ! s'écria Haigha d'un ton impatienté.

Mais Hatta se contenta de mastiquer de plus belle et de boire une gorgée de thé.

— Parle donc ! Tu dois parler ! s'écria le Roi. Où en sont les combattants ?

Hatta fit un effort désespéré et avala un gros morceau de sa tartine.

— Ils s'en tirent très bien, marmotta-t-il d'une voix étouffée ; chacun d'eux a touché terre à peu près quatre-vingt-sept fois.

— En ce cas, je suppose qu'on ne va pas tarder à apporter le pain blanc et le pain noir ? se hasarda à demander Alice.

— Le pain les attend, dit Hatta ; je suis en train d'en manger un morceau.

Juste à ce moment, le combat prit fin, et le Lion et la Licorne s'assirent, haletants, pendant que le Roi criait :

— Dix minutes de trêve ! Qu'on serve les rafraîchissements !

Haigha et Hatta se mirent immédiatement au travail et firent circuler des plateaux de pain blanc et de pain noir. Alice en prit un morceau pour y goûter, mais elle le trouva terriblement sec.

— Je crois qu'ils ne se battront plus aujourd'hui, dit le Roi à Hatta. Va donner l'ordre aux tambours de commencer.

Et Hatta s'en alla en sautant comme une sauterelle.

Pendant une ou deux minutes, Alice le regarda s'éloigner sans rien dire. Brusquement, son visage s'éclaira.

— Regardez ! Regardez ! s'écria-t-elle, en tendant vivement le doigt. Voilà la Reine blanche qui court tant qu'elle peut à travers la campagne ! Elle vient de sortir à toute allure du bois qui est là-bas... Ce que ces Reines peuvent courir vite !

— Elle doit sûrement avoir un ennemi à ses trousses, dit le Roi, sans même se retourner. Ce bois en est plein.

— Mais est-ce que vous n'allez pas vous précipiter à son secours ? demanda Alice, très surprise de voir qu'il prenait la chose si tranquillement.

— Inutile, inutile ! répondit le Roi. Elle court beaucoup trop vite. Autant vaudrait essayer d'arrêter un Bandersnatch ! Mais, si tu veux, je vais prendre une note à son sujet... C'est vraiment une excellente créature, marmonna-t-il, en ouvrant son carnet. Est-ce que tu écris « créature » avec un « k » ?

A ce moment, la Licorne s'approcha d'eux, les mains dans les poches, d'un pas de promenade.

— Cette fois-ci, c'est moi qui ai eu l'avantage ! dit-elle au Roi en lui jetant un coup d'œil négligent.

— Oui, un tout petit peu, répondit le Roi d'un ton nerveux. Mais, voyez-vous, vous n'auriez pas dû le transpercer de votre corne.

— Oh, ça ne lui a pas fait mal, déclara la Licorne d'un air dégagé.

Elle s'apprêtait à poursuivre son chemin lorsque son regard se posa par hasard sur Alice : alors elle fit brusquement demi-tour, et resta un bon moment à la regarder d'une air de profond dégoût.

— Qu'est-ce-que-c'est-que-ça ? demanda-t-elle enfin.

— C'est une petite fille! répondit Haigha vivement, en se plaçant devant Alice pour la présenter, et en tendant ses deux mains vers elle dans une attitude très anglo-saxonne. Nous l'avons trouvée aujourd'hui même. Elle est de grandeur naturelle !

— J'avais toujours cru que c'étaient des monstres fabuleux ! s'exclama la Licorne. Est-ce qu'elle est vraiment bien vivante ?

— Elle sait parler, dit Haigha d'un ton solennel.

La Licorne regarda Alice d'un air rêveur, et ordonna :

— Parle, petite fille.

Alice ne put s'empêcher de sourire tout en disant :

— Moi aussi, voyez-vous, j'avais toujours cru que les Licornes étaient des monstres fabuleux ! Je n'avais jamais vu de Licorne vivante !

— Eh bien, maintenant que nous nous sommes vues, si tu crois en moi, je croirai en toi. Est-ce une affaire entendue ?

— Oui, si vous voulez.

— Allons, mon vieux, apporte-nous le gâteau ! continua la Licorne en s'adressant au Roi. Je ne veux pas entendre parler de pain noir !

— Certainement... certainement ! marmotta le Roi, en faisant un signe à Haigha. Ouvre le sac ! murmura-t-il. Vite ! Non, pas celui-là... il ne contient que de l'herbe !

Haigha tira du sac un gros gâteau ; puis il le donna à tenir à Alice, pendant qu'il tirait du sac un plat et un couteau à découper. Alice ne put deviner

comment tous ces objets étaient sortis du sac. Il lui semble que c'était un tour de prestidigitation.

Pendant ce temps, le Lion les avait rejoints. Il avait l'air très fatigué, très somnolent, et il tenait ses yeux mi-clos.

— Qu'est-ce que c'est que ça ? dit-il, en regardant paresseusement Alice de ses yeux clignotants et en parlant d'une voix basse et profonde semblable au tintement d'une grosse cloche.

— Ah ! justement, qu'est-ce que ça peut bien être ? s'écria vivemennt la Licorne. Tu ne le devineras jamais ! Moi, je n'ai pas pu le deviner.

Le Lion regarda Alice d'un air las.

— Es-tu un animal... un végétal... ou un minéral ? demanda-t-il en bâillant après chaque mot.

— C'est un monstre fabuleux ! s'écria la Licorne, sans donner à Alice le temps de répondre.

— Eh bien, passe-nous le gâteau, Monstre, dit le Lion en se couchant et en appuyant son menton sur ses pattes de devant. Vous deux, asseyez-vous, ordonna-t-il au Roi et à la Licorne. Et qu'on fasse des parts égales !

Le Roi était manifestement très gêné d'être obligé de s'asseoir entre ces deux énormes créatures ; mais il n'y avait pas d'autre place pour lui.

— Quel combat nous pourrions nous livrer pour la couronne en ce moment-ci ! dit la Licorne en regardant sournoisement la couronne qui était à deux doigts de tomber de la tête du Roi, tellement il tremblait.

— Je gagnerais facilement, affirma le Lion.

— Je n'en suis pas si sûre que ça, répondit la Licorne.

— Allons donc ! tu as fui devant moi à travers toute la cité, espèce de mauviette ! répliqua le Lion d'une voix furieuse, en se soulevant à demi.

Ici, le Roi, très agité, intervint pour empêcher la querelle de s'envenimer.

— A travers toute la cité ? dit-il d'une voix tremblante. Ça fait pas mal de chemin. Etes-vous passés par le vieux pont ou par la place du marché ? Par le vieux pont, la vue est beaucoup plus belle.

— Je n'en sais absolument rien, grommela le Lion, tout en se recouchant. Il y avait tant de poussière qu'on ne pouvait rien voir... Comme le Monstre met du temps à couper ce gâteau !

Alice s'était assise au bord d'un petit ruisseau, le grand plat sur les genoux, et sciait le gâteau tant qu'elle pouvait avec le couteau à découper.

— C'est exaspérant ! répondit-elle au Lion. (Elle commençait à s'habituer à être appelée « le Monstre »). J'ai déjà coupé plusieurs tranches, mais elles se recollent immédiatement !

— Tu ne sais pas comment il faut s'y prendre avec les gâteaux du Pays du Miroir, dit la Licorne. Fais-le circuler d'abord, et coupe-le ensuite.

Ceci semblait parfaitement absurde ; mais Alice obéit, se leva, fit circuler le plat, et le gâteau se coupa tout seul en trois morceaux.

— Maintenant, coupe-le, ordonna le Lion, tandis qu'elle revenait à sa place en portant le plat vide.

— Dites donc, ça n'est pas juste ! s'écria la Licorne, tandis qu'Alice, assise, le couteau à la main, se demandait avec embarras comment elle allait faire. Le Monstre a donné au Lion une part deux fois plus grosse que la mienne !

— De toutes façons, elle n'a rien gardé pour elle, fit observer le Lion. Aimes-tu lę gâteau, Monstre ?

Mais, avant qu'Alice eût pu répondre, les tambours commencèrent à battre.

Elle fut incapable de distinguer d'où venait le bruit : on aurait dit que l'air était plein du roulement des tambours qui résonnait sans arrêt dans sa tête, tant et si bien qu'elle se sentait complètement assourdie.

Elle se leva d'un bond, et, dans sa terreur, elle franchit...

... le ruisseau. Elle eut juste le temps de voir le Lion et la Licorne se dresser, l'air furieux d'être obligés d'interrompre leur repas. Elle

tomba à genoux et se boucha les oreilles de ses mains, pour essayer vainement de de ne plus entendre l'épouvantable vacarme.

« Si ça ne suffit pas à les chasser de la ville », pensa-t-elle, « rien ne pourra les faire paritr ! »

Chapitre 8
« C'est de mon invention »

Au bout d'un moment, le bruit sembla décroître peu à peu. Bientôt, un silence de mort régna, et Alice releva la tête, non sans inquiétude. Ne voyant personne autour d'elle, elle crut d'abord que le Lion, la Licorne et les bizarres Messagers anglo-saxons, n'étaient qu'un rêve. Mais à ses pieds se trouvait le grand plat sur lequel elle avait essayé de couper le gâteau. « Donc, ce n'est pas un rêve, pensa-t-elle, à moins que... à moins que nous ne fassions tous partie d'un même rêve. Seulement, dans ce cas, j'espère que c'est mon rêve à moi, et non pas celui du Roi Rouge ! Je n'aimerais pas du tout appartenir au rêve d'une autre personne, continua-t-elle d'un ton plaintif ; j'ai très envie d'aller le réveiller pour voir ce qui se passera ! »

A ce moment, elle fut interrompue dans ses réflexions par un grand cri de : « Holà ! Holà !

Echec ! », et un Cavalier recouvert d'une armure cramoisie arriva droit sur elle au galop, en brandissant un gros gourdin. Juste au moment où il allait l'atteindre, le cheval s'arrêta brusquement.

— Tu es ma prisonnière ! cria le Cavalier, en dégringolant à bas de sa monture.

Malgré son effroi et sa surprise, Alice eut plus peur pour lui que pour elle sur le moment, et elle le regarda avec une certaine anxiété tandis qu'il se remettait en selle. Dès qu'il fut confortablement assis, il commença à dire une deuxième fois : « Tu es ma pri... », mais il fut interrompu par une autre voix qui criait : « Holà ! Holà ! Echec ! » et Alice, assez surprise, se retourna pour voir qui était ce nouvel ennemi.

Cette fois-ci, c'était un Cavalier Blanc. Il s'arrêta tout près d'Alice, et dégringola de son cheval exactement comme le Cavalier Rouge ; puis, il se remit en selle, et les deux Cavaliers restèrent à se dévisager sans mot dire, tandis qu'Alice les regardait tour à tour d'un air effaré.

— C'est ma prisonnière à moi, ne l'oublie pas ! déclara enfin le Cavalier Rouge.

— D'accord ; mais moi, je suis venu à son secours, et je l'ai délivrée ! répliqua le Cavalier Blanc.

— En ce cas nous allons nous battre pour savoir à qui elle sera, dit le Cavalier Rouge en prenant son casque (qui était pendu à sa selle et ressemblait assez à une tête de cheval) et en s'en coiffant.

— Naturellement, tu observeras les Règles du

Combat ? demanda le Cavalier Blanc, en mettant son casque à son tour.

— Je n'y manque jamais, répondit le Cavalier Rouge.

Sur quoi, ils commencèrent à se cogner avec tant de fureur qu'Alice alla se réfugier derrière un arbre pour se mettre à l'abri des coups.

« Je me demande ce que les Règles du Combat peuvent bien être, pensait-elle, tout en avançant timidement la tête pour mieux voir la bataille.

On dirait qu'il y a une Règle qui veut que si un Cavalier touche l'autre il le fait tomber de son cheval, et, s'il le manque, c'est lui-même qui dégringole ; on dirait aussi qu'il y a une autre règle qui veut qu'ils tiennent leur gourdin avec leur avant-bras, comme Guignol. Quel bruit ils font quand ils dégringolent sur un garde-feu ! Et ce que les chevaux sont calmes ! Ils les laissent monter et descendre exactement comme s'ils étaient des tables ! »

Une autre Règle du Combat, qu'Alice n'avait pas remarquée, semblait prescrire qu'ils devaient toujours tomber sur la tête, et c'est ainsi que la bataille prit fin : tous deux tombèrent sur la tête, côte à côte. Une fois relevés, ils se serrèrent la main ; puis le Cavalier Rouge enfourcha son cheval et partit au galop.

— J'ai remporté une glorieuse victoire, n'est-ce pas ? déclara le Cavalier Blanc, tout haletant, en s'approchant d'Alice.

— Je ne sais pas, répondit-elle d'un ton de doute. En tout cas, je ne veux être la prisonnière de personne. Je veux être la Reine.

— Tu le seras quand tu auras franchi le ruisseau suivant, promit le Cavalier Blanc. Je t'accompagnerai jusqu'à ce que tu sois sortie du bois ; après ça, vois-tu, il faudra que je m'en revienne. Mon coup ne va pas plus loin.

— Je vous remercie beaucoup, dit Alice. Puis-je vous aider à ôter votre casque ?

De toute évidence, il aurait été bien incapable de l'ôter tout seul ; et Alice eut beaucoup de mal à le retirer en le secouant de toutes ses forces.

— A présent, je respire un peu mieux, déclara le Cavalier, qui, après avoir rejeté à deux mains ses longs cheveux en arrière, tourna vers Alice son visage plein de bonté et ses grands yeux très doux.

La fillette pensa qu'elle n'avait jamais vu un soldat d'aspect aussi étrange. Il était revêtu d'une armure de fer blanc qui lui allait très mal, et il portait, attachée sens dessus dessous sur ses épaules, une bizarre boîte de bois blanc dont le couvercle pendait. Alice la regarda avec beaucoup de curiosité.

— Je vois que tu admires ma petite boîte, dit le Cavalier d'un ton bienveillant. C'est une boîte de mon invention, dans laquelle je mets des vêtements et des sandwichs. Vois-tu, je la porte sens dessus dessous pour que la pluie ne puisse pas y entrer.

— Oui, mais les choses qu'elle contient peuvent en sortir, fit observer Alice d'une voix douce. Savez-vous que le couvercle est ouvert ?

— Non, je ne le savais pas, répondit le Cavalier en prenant un air contrarié. En ce cas tout ce qui était dedans a dû tomber ! La boîte ne me sert plus à rien si elle est vide.

Il la détacha tout en parlant, et il s'apprêtait à la jeter dans les buissons lorsqu'une idée sembla lui venir brusquement à l'esprit, car il suspendit soigneusement la boîte à un arbre.

— Devines-tu pourquoi je fais cela ? demanda-t-il à Alice.

Elle fit « non » de la tête.

— Dans l'espoir que les abeilles viendront y nicher... Comme ça j'aurais du miel.

— Mais vous avez une ruche — ou quelque chose qui ressemble à une ruche — attachée à votre selle, fit observer Alice.

— Oui, et c'est même une très bonne ruche, dit le Cavalier d'un ton mécontent. Mais aucune abeille ne s'en est approchée jusqu'à présent. A côté il y a une souricière. Je suppose que les souris empêchent les abeilles de venir... ou bien ce sont les abeilles qui empêchent les souris de venir... je ne sais pas au juste.

— Je me demandais à quoi la souricière pouvait bien servir. Il n'est guère probable qu'il y ait des souris sur le dos du cheval.

— Peut-être n'est-ce guère probable ; mais si, par hasard, il en venait, je ne veux pas qu'elles se mettent à courir partout... Vois-tu, continua-t-il, après un moment de silence, il vaut mieux *tout* prévoir.

C'est pour ça que mon cheval porte des anneaux de fer aux chevilles.

— Et à quoi servent ces anneaux ? demanda Alice avec beaucoup de curiosité.

— C'est pour le protéger des morsures de requins. Ça aussi, c'est de mon invention... Et maintenant, aide-moi à me remettre en selle. Je vais t'accompagner jusqu'à la lisière du bois... A quoi donc sert ce plat ?

— Il est fait pour contenir un gâteau.

— Nous ferons bien de l'emmener avec nous. Il sera bien commode si nous trouvons un gâteau. Aide-moi à le fourrer dans ce sac.

L'opération dura très longtemps. Alice avait beau tenir le sac très soigneusement ouvert, le Cavalier s'y prenait avec beaucoup de maladresse : les deux ou trois premières fois qu'il essaya de faire entrer le plat, il tomba lui-même la tête dans le sac.

— Vois-tu, c'est terriblement serré, dit-il lorsqu'ils eurent enfin réussi à caser le plat, parce qu'il y a beaucoup de chandeliers dans le sac.

Et il l'accrocha à sa selle déjà chargée de bottes de carottes, de pelles, de pincettes, de tisonniers, et d'un tas d'autres objets.

— J'espère que tes cheveux tiennent bien ? continua-t-il, tandis qu'ils se mettaient en route.

— Ils tiennent comme d'habitude, répondit Alice en souriant.

— Ça n'est guère suffisant, dit-il d'une voix anxieuse. Vois-tu, le vent est terriblement fort ici. Il est aussi fort que du café.

— Avez-vous inventé un système pour empêcher les cheveux d'être emportés par le vent ?

— Pas encore ; mais j'ai un système pour les empêcher de tomber.

— Je voudrais bien le connaître.

— D'abord tu prends un bâton bien droit. Ensuite tu y fais grimper tes cheveux, comme un arbre fruitier. La raison qui fait que les cheveux tombent, c'est qu'ils pendent par en bas... Les cheveux ne tombent jamais par en haut, vois-tu. C'est de mon invention. Tu peux essayer si tu veux.

Mais Alice trouva que ce système n'avait pas l'air très agréable. Pendant quelques minutes, elle continua à marcher en silence, réfléchissant à cette idée et s'arrêtant de temps à autre pour aider le pauvre Cavalier à remonter sur son cheval.

En vérité, c'était un bien piètre cavalier. Toutes les fois que le cheval s'arrêtait (ce qui arrivait très fréquemment), le Cavalier tombait en avant ; et toutes les fois que le cheval se remettait en marche (ce qu'il faisait avec beaucoup de brusquerie), le Cavalier tombait en arrière. Ceci mis à part, il faisait route sans trop de mal, sauf que, de temps en temps, il tombait de côté ; et comme il tombait presque toujours du côté où se trouvait Alice, celle-ci comprit très vite qu'il valait mieux ne pas marcher trop près du cheval.

— Je crains que vous ne vous soyez pas beaucoup exercé à monter à cheval, se risqua-t-elle à dire, tout en le relevant après sa cinquième chute.

A ces mots, le Cavalier prit un air très surpris et un peu blessé.

— Qu'est-ce qui te fait croire cela ? demanda-t-il, tandis qu'il regrimpait en selle en s'agrippant d'une main aux cheveux d'Alice pour s'empêcher de tomber de l'autre côté.

— C'est que les gens tombent un peu moins souvent que vous quand ils se sont exercés pendant longtemps.

— Je me suis exercé très longtemps, affirma le Cavalier d'un ton extrêmement sérieux, oui, très longtemps !

Alice ne trouva rien de mieux à répondre que : « Vraiment ? » mais elle le dit aussi sincèrement qu'elle le put. Sur ce, ils continuèrent à marcher en silence : le Cavalier, les yeux fermés, marmottait quelque chose entre ses dents, et Alice attendait anxieusement la prochaine chute.

— Le grand art en matière d'équitation, commença brusquement le Cavalier d'une voix forte, en faisant de grands gestes avec son bras droit, c'est de garder...

La phrase s'arrêta là aussi brusquement qu'elle avait commencé, et le Cavalier tomba lourdement la tête la première sur le sentier qu'Alice était en train de suivre.

Cette fois, elle eut très peur, et demanda d'une voix anxieuse, tout en l'aidant à se relever :

— J'espère que vous ne vous êtes pas cassé quelque chose ?

— Rien qui vaille la peine d'en parler, répondit le Cavalier, comme s'il lui était tout à fait indifférent de se casser deux ou trois os. Comme je le disais, le grand art en matière d'équitation, c'est de... garder son équilibre. Comme ceci, vois-tu...

Il lâcha la bride, étendit les deux bras pour montrer à Alice ce qu'il voulait dire, et, cette fois, s'aplatit sur le dos juste sous les sabots du cheval.

— Je me suis exercé très longtemps ! répéta-t-il sans arrêt, pendant qu'Alice le remettait sur pied. Très, très longtemps !

— C'est vraiment trop ridicule ! s'écria la fillette perdant patience. Vous devriez avoir un cheval de bois monté sur roues !

— Est-ce que cette espèce de cheval marche sans secousses ? demanda le Cavalier d'un air très intéressé, tout en serrant à pleins bras le cou de sa monture, juste à temps pour s'empêcher de dégringoler une fois de plus.

— Ces chevaux-là marchent avec beaucoup moins de secousses qu'un cheval vivant, dit Alice, en laissant fuser un petit éclat de rire, malgré tout ce qu'elle put faire pour se retenir.

— Je m'en procurerai un, murmura le Cavalier d'un ton pensif. Un ou deux... et même plusieurs.

Il y eut un court silence ; après quoi, il poursuivit :

— Je suis très fort pour inventer des choses. Par exemple, je suis sûr que, la dernière fois où tu m'as aidé à me relever, tu as remarqué que j'avais l'air préoccupé.

— Vous aviez l'air très sérieux.

— Eh bien, juste à ce moment-là, j'étais en train d'inventer un nouveau moyen de franchir une barrière... Veux-tu que je te l'enseigne ?

— J'en serai très heureuse, répondit Alice poliment.

— Je vais t'expliquer comment ça m'est venu.

Vois-tu, je me suis dit ceci : « La seule difficulté consiste à faire passer les pieds, car, pour ce qui est de la tête, elle est déjà assez haute. » Donc, je commence par mettre la tête sur le haut de la barrière... à ce moment-là, ma tête est assez haute... Ensuite je me mets debout sur la tête... à ce moment-là, vois-tu, mes pieds sont assez hauts... Et ensuite, vois-tu, je me trouve de l'autre côté.

— En effet, je suppose que vous vous trouveriez de l'autre côté après avoir fait cela, dit Alice d'un ton pensif ; mais ne croyez-vous pas que ce serait assez difficile ?

— Je n'ai pas encore essayé, répondit-il très gravement ; c'est pourquoi je n'en suis pas sûr... Mais je crains, en effet, que ce ne soit assez difficile.

Il avait l'air si contrarié qu'Alice se hâta de changer de sujet de conversation.

— Quel curieux casque vous avez ! s'exclama-t-elle d'une voix gaie. Est-ce qu'il est de votre invention, lui aussi ?

Le Cavalier regarda d'un air fier le casque qui pendait à sa selle.

— Oui, dit-il ; mais j'en ai inventé un autre qui était bien mieux que celui-ci : en forme de pain de sucre. Quand je le portais, si, par hasard, je tombais de mon cheval, il touchait le sol presqu'immédiatement ; ce qui fait que je ne tombais pas de très haut, vois-tu... Seulement, bien sûr, il y avait un danger : c'était de tomber dedans. Ça m'est arrivé une fois... ; et, le pire, c'est que, avant que j'aie pu en sortir, l'autre Cavalier Blanc est arrivé et se l'est mis sur la tête, croyant que c'était son casque à lui.

Il racontait cela d'un ton si solennel qu'Alice n'osa pas rire.

— Vous avez dû lui faire du mal, j'en ai bien peur, fit-elle observer d'une voix tremblotante, puisque vous étiez sur sa tête.

— Naturellement, j'ai été obligé de lui donner des coups de pieds, répliqua le Cavalier le plus sérieusement du monde. Alors, il a enlevé le casque... mais il a fallu des heures et des heures pour m'en faire sortir... J'étais tout écorché ; j'avais le visage à vif... comme l'éclair.

— On dit : « vif comme l'éclair » et non pas « à vif », objecta Alice, ce n'est pas la même chose [n].

Le Cavalier hocha la tête.

— Pour moi, je t'assure que c'était tout pareil ! répondit-il.

Là-dessus, il leva les mains d'un air agité, et, immédiatement, il dégringola de sa selle pour tomber la tête la première dans un fossé profond.

Alice courut au bord du fossé pour voir ce qu'il était devenu. Cette dernière chute lui avait causé une brusque frayeur : étant donné que le Cavalier était resté ferme en selle pendant un bon bout de temps, elle craignait qu'il ne se fût vraiment fait mal. Mais, quoiqu'elle ne pût voir que la plante de ses pieds, elle fut très soulagée de l'entendre continuer à parler de son ton de voix habituel.

— Pour moi, c'était tout pareil, répéta-t-il ; mais, lui, il a fait preuve d'une grande négligence en mettant le casque d'un autre homme... surtout alors que cet homme était dedans !

— Comment pouvez-vous faire pour parler tranquillement, la tête en bas ? demanda Alice, qui le

tira par les pieds et le déposa en un tas informe au bord du fossé.

Le Cavalier eut l'air surpris de sa question.

— La position dans laquelle se trouve mon corps n'a aucune espèce d'importance, répondit-il. Mon esprit fonctionne tout aussi bien. En fait, plus j'ai la tête en bas, plus j'invente de choses nouvelles... Ce que j'ai fait de plus habile, continua-t-il après un moment de silence, ç'a été d'inventer un nouveau pudding, pendant qu'on en était au plat de viande.

— A temps pour qu'on puisse le faire cuire pour le service suivant ? Ma foi, ç'a été du travail vite fait.

— Eh bien, non, pas pour le service suivant, déclara le Cavalier d'une voix lente et pensive ; non, certainement pas pour le service suivant.

— Alors ce devait être pour le jour suivant ; car je suppose que vous n'auriez pas voulu deux puddings dans un même repas ?

— Eh bien, non, pas pour le jour suivant ; non, certainement pas pour le jour suivant... En fait, continua-t-il en baissant la tête, tandis que sa voix devenait de plus en plus faible, je crois que ce pudding n'a jamais été préparé. Et pourtant j'avais montré une grande habileté en inventant ce pudding.

— Avec quoi aviez-vous l'intention de le faire ? demanda Alice, dans l'espoir de lui remonter le moral, car il avait l'air très abattu.

— Ça commençait par du papier buvard, répondit le Cavalier en poussant un gémissement.

— Ça ne serait pas très bon à manger ; je crains que...

— Ça ne serait pas très bon, tout seul, déclara-t-il vivement. Mais tu n'imagines pas quelle différence ça ferait si on le mélangeait avec d'autres choses... par exemple, de la poudre de chasse et de la cire à cacheter... Ici, il faut que je te quitte.

Alice ne souffla mot ; elle avait l'air tout déconcertée, car elle pensait un pudding.

— Tu es bien triste, dit le Cavalier d'une voix anxieuse ; laisse-moi te chanter une chanson pour te réconforter.

— Est-elle très longue ? demanda Alice, car elle avait entendu pas mal de poésies ce jour-là.

— Elle est longue, dit le Cavalier, mais elle est très, très belle. Tous ceux qui me l'entendent chanter..., ou bien les larmes leur montent aux yeux, ou bien...

— Ou bien quoi ? dit Alice, car le Cavalier s'était interrompu brusquement.

— Ou bien elles ne leur montent pas aux yeux...

Le nom de la chanson s'appelle : « *Yeux de Brochet*[1] ».

— Ah, vraiment, c'est le nom de la chanson ? dit Alice en essayant de prendre un air intéressé.

— Pas du tout, tu ne comprends pas, répliqua le Cavalier, un peu vexé. C'est ainsi qu'on *appelle* le nom. Le nom, c'est : « *Le Vieillard chargé d'Ans.* »

— En ce cas j'aurais dû dire : « C'est ainsi que s'appelle la chanson ? » demanda Alice pour se corriger.

— Pas du tout, c'est encore autre chose. La chanson s'appelle : « *Comment s'y prendre* ». C'est ainsi qu'on appelle la chanson ; mais, vois-tu, ce n'est pas la chanson elle-même.

— Mais qu'est-ce donc que la chanson elle-même ? demanda Alice, complètement éberluée.

— J'y arrivais, dit le Cavalier. La chanson elle-même, c'est : « *Assis sur la Barrière* » ; et l'air est de mon invention.

Sur ces mots, il arrêta son cheval et laissa retomber la bride sur son cou ; puis, battant lentement la mesure d'une main, son visage doux et stupide éclairé par un léger sourire, il commença.

De tous les spectacles étranges qu'elle vit pendant son voyage à travers le Pays du Miroir, ce fut celui-là qu'Alice se rappela toujours le plus nettement. Plusieurs années plus tard, elle pouvait évoquer toute la scène comme si elle s'était passée la veille : les doux yeux bleus et le bon sourire du

1. Le texte anglais dit « *Haddocks' Eyes* » (Yeux d'Aiglefins). J'emploie le mot « Brochet » pour les besoins de la rime dans le poème « *Assis sur la Barrière* » que l'on trouvera un peu plus loin. En l'occurrence, un poisson en vaut un autre...

Cavalier... le soleil couchant qui donnait sur ses cheveux et brillait sur son armure dans un flamboiement de lumière éblouissante... le cheval qui avançait paisiblement, les rênes flottant sur son cou, en broutant l'herbe à ses pieds... les ombres profondes de la forêt à l'arrière-plan : tout cela se grava dans sa mémoire comme si c'eût été un tableau, tandis que, une main en abat-jour au-dessus de ses yeux, appuyée contre un arbre, elle regardait l'étrange couple formé par l'homme et la bête, en écoutant, comme en rêve, la musique mélancolique de la chanson.

« Mais l'air n'est pas de son invention » se dit-elle ; « c'est l'air de : « *Je te donne tout, je ne puis faire plus*[1] ».

Elle écouta très attentivement, mais les larmes ne lui montèrent pas aux yeux.

ASSIS SUR LA BARRIÈRE

Je vais te conter maintenant
  L'histoire singulière
De ce bon vieillard chargé d'ans.
  Assis sur la barrière.
« Qui es-tu ? Quel est ton gagne-pain ? »
  Dis-je à cette relique.
Comme un tamis retient du vin,
  Je retins sa réplique.

---

1. Il s'agit d'un très long poème de Thomas Moore, mis en musique par Sir Henry Rowley Bishrop (1786-1855), professeur de musique à Oxford en 1848.

« Je pourchasse les papillons
  Qui volent dans les nues ;
J'en fais des pâtés de mouton,
  Que je vends dans les rues.
Je les vends à de fiers marins
  Qui aux flots s'abandonnent ;
Et c'est là mon seul gagne-pain...
  Faites-moi donc l'aumône. »

Mais, moi, qui concevais ce plan :
  Teindre en vert mes moustaches
Et me servir d'un grand écran
  Pour que nul ne le sache,
Je dis (n'ayant rien entendu),
  A cette vieille bête :
« Allons, voyons ! Comment vis-tu ? »
  Et lui cognai la tête.

Il me répondit aussitôt :
  « Je cours à rendre l'âme,
Et lorsque je trouve un ruisseau
  Vivement, je l'enflamme ;
On fait de l'huile pour cheveux
  De cette eau souveraine ;
Moi, je reçois un sou ou deux ;
  C'est bien peu pour ma peine. »

Mais je pensais à un moyen
  De me nourrir de beurre,
Et ne manger rien d'autre, afin
  D'engraisser d'heure en heure.
  Je le secouai sans façon,
  Et dis, plein d'impatience :

« Allons, comment vis-tu ? quels sont
  Tes moyens d'existence ? »
« Je cherche des yeux de brochets
  Sur l'herbe radieuse,
J'en fais des boutons de gilets
  Dans la nuit silencieuse.
Je ne demande ni diamants
  Ni une bourse pleine ;
Mais, pour un sou, à tout venant
  J'en donne une douzaine.

Aux crabes, je tends des gluaux,
  J'en fais un grand massacre ;
Ou je vais par monts et par vaux
  Chercher des roues de fiacre.
Voilà comment, en vérité,
  J'amasse des richesses...
Je boirais bien à la santé
  De Votre Noble Altesse. »

Je l'entendis, ayant trouvé
  Un moyen très facile
D'empêcher les ponts de rouiller
  En les plongeant dans l'huile.
Je le félicitai d'avoir
  Amassé des richesses
Et, plus encore, de vouloir
  Boire à Ma Noble Altesse.

Et maintenant, lorsque, parfois,
  Je déchire mes poches,
Ou quand j'insère mon pied droit
  Dans ma chaussure gauche,
Ou quand j'écrase un de mes doigts
  Sous une lourde roche,

Je sanglote, en me rappelant
Ce vieillard au verbe si lent,
Aux cheveux si longs et si blancs,
Au visage sombre et troublant,
Aux yeux remplis d'un feu ardent,
Que déchiraient tant de tourments,
Qui se balançait doucement,
En marmottant et marmonnant
Comme s'il eût mâché des glands,
Et renâclait comme un élan...
... Ce soir d'été, il y a longtemps,
  Assis sur la barrière.

Tout en chantant les dernières paroles de la ballade, le Cavalier reprit les rênes en main et tourna la tête de son cheval dans la direction d'où ils étaient venus.

— Tu n'as que quelques mètres à faire, dit-il, pour descendre la colline et franchir ce petit ruisseau ; ensuite, tu seras Reine... Mais tout d'abord, tu vas assister à mon départ, n'est-ce pas ? ajouta-t-il, en voyant qu'Alice détournait les yeux de lui d'un air impatient. J'aurai vite fait. Tu attendras jusqu'à ce que je sois arrivé à ce tournant de la route que tu vois là-bas, et, à ce moment-là, tu agiteras ton mouchoir... veux-tu ? Je crois que ça me donnera du courage.

— J'attendrai, bien sûr. Merci beaucoup de m'avoir accompagnée si loin... et merci également de la chanson... elle m'a beaucoup plu.

— Je l'espère, dit le Cavalier d'un ton de doute ; mais tu n'as pas pleuré autant que je m'y attendais.

Là-dessus, ils se serrèrent la main ; puis, le Cavalier s'enfonça lentement dans la forêt.

« Je suppose que je n'aurai pas longtemps à attendre pour assister à son départ... de sur son cheval ! » pensa Alice, en le regardant s'éloigner. « Là, ça y est ! En plein sur la tête, comme d'habitude ! Malgré tout, il se remet en selle assez facilement... sans doute parce qu'il y a tant de choses accrochées autour du cheval... »

Elle continua à se parler de la sorte, tout en regardant le cheval avancer paisiblement sur la route, et le Cavalier dégringoler tantôt d'un côté, tantôt de l'autre. Après la quatrième ou la cinquième chute il arriva au tournant, et Alice agita son mouchoir vers lui, en attendant qu'il eût disparu.

« J'espère que ça lui aura donné du courage », se dit-elle, en faisant demi-tour jusqu'au bas de la colline. « Maintenant, à moi le dernier ruisseau et la couronne de Reine ! Ça va être magnifique ! »

Quelques pas l'amenèrent au bord du ruisseau.

« Enfin ! voici la Huitième Case ! » s'écria-t-elle, en le franchissant d'un bond...

... et en se jetant, pour se reposer, sur une pelouse aussi moelleuse qu'un tapis de mousse, toute parsemée de petits parterres de fleurs.

« Oh ! que je suis contente d'être ici ! Mais, qu'est-ce que j'ai donc sur la tête ? » s'exclama-t-elle d'une voix consternée, en portant la main à un objet très lourd qui lui serrait le front.

« Voyons, comment se fait-il que ce soit venu là sans que je le sache ? » se dit-elle en soulevant l'objet et en le posant sur ses genoux pour voir ce que cela pouvait bien être.

C'était une couronne d'or.

Chapitre 9
La Reine Alice

« Ça, alors, c'est magnifique ! » dit Alice.
« Jamais je ne me serais attendue à être Reine si
tôt... Et, pour vous dire la vérité, Votre Majesté »,
ajouta-t-elle d'un ton sévère (elle aimait beaucoup
se réprimander de temps en temps), « il est impossible de continuer à vous prélasser sur l'herbe
comme vous le faites ! Il faut que les Reines aient
un peu de dignité, voyons ! »

En conséquence, elle se leva et se mit à marcher,
assez raidement pour commencer, car elle avait
peur que sa couronne ne tombât, mais elle se con-
sola en pensant qu'il n'y avait personne pour la
regarder. « Et d'ailleurs, dit-elle en se rasseyant, si
je suis vraiment Reine, je m'en tirerai très bien au
bout d'un certain temps. »

Il lui était arrivé des choses si étranges qu'elle ne

fut pas étonnée le moins du monde de s'apercevoir que la Reine Rouge et la Reine Blanche étaient assises tout près d'elle, une de chaque côté. Elle aurait bien voulu leur demander comment elles étaient venues là, mais elle craignait que ce ne fût pas très poli. Néanmoins, elle pensa qu'il n'y aurait aucun mal à demander si la partie était finie[1].

— S'il vous plaît, commença-t-elle en regardant timidement la Reine Rouge, voudriez-vous m'apprendre...

— Tu ne dois parler que lorsqu'on t'adresse la parole ! dit la Reine Rouge en l'interrompant brutalement.

— Mais si tout le monde suivait cette règle, répliqua Alice (toujours prête à entamer une petite discussion), si on ne parlait que lorsqu'une autre personne vous adressait la parole, et si l'autre personne attendait toujours que ce soit vous qui commenciez, alors, voyez-vous, personne ne dirait jamais rien, de sorte que...

— C'est ridicule ! s'exclama la Reine. Voyons, mon enfant, ne vois-tu pas que...

Ici, elle s'interrompit en fronçant les sourcils ; puis, après avoir réfléchi une minute, elle changea brusquement de sujet de conversation :

— Pourquoi disais-tu tout à l'heure : « Si je suis vraiment Reine ? » Quel droit as-tu à te donner ce titre ? Tu ne peux être Reine avant d'avoir subi l'examen qui convient. Et plus tôt nous commencerons, mieux ça vaudra.

1. N'oublions pas que tous les mouvements d'Alice et des autres personnages correspondent aux déplacements des pièces d'un jeu d'échecs sur un échiquier.

— Mais je n'ai fait que dire : « Si », répondit la pauvre Alice d'un ton piteux.

Les deux Reines s'entre-regardèrent, et la Reine Rouge murmura en frissonnant :

— Elle prétend qu'elle n'a fait que dire « si »...

— Mais elle a dit beaucoup plus que cela ! gémit la Reine Blanche en se tordant les mains. Oh ! elle a dit beaucoup, beaucoup plus que cela !

— C'est tout à fait exact, ma petite, fit observer la Reine Rouge à Alice. Dis toujours la vérité... réfléchis avant de parler... et écris ensuite ce que tu as dit.

— Mais je suis sûre que je ne voulais rien dire..., commença Alice.

La Reine Rouge l'interrompit brusquement :

— C'est justement cela que je te reproche ! Tu aurais dû vouloir dire quelque chose ! A quoi peut bien servir un enfant qui ne veut rien dire ? Même une plaisanterie doit vouloir dire quelque chose... et il me semble qu'un enfant est plus important qu'une plaisanterie. Tu ne pourrais pas nier cela, même si tu essayais avec tes deux mains.

— Je ne nie pas les choses avec mes mains, objecta Alice.

— Je n'ai jamais prétendu cela, répliqua la Reine Rouge. J'ai dit que tu ne pourrais pas le faire, même si tu essayais.

— Elle est dans un tel état d'esprit, reprit la Reine Blanche, qu'elle veut à tout prix nier quelque chose... Seulement elle ne sait pas quoi nier.

— Quelle détestable caractère ! s'exclama la Reine Rouge.

Après quoi il y eut une ou deux minutes de silence gênant.

La Reine Rouge le rompit en disant à la Reine Blanche :

— Je vous invite au dîner que donne Alice ce soir.

La Reine Blanche eut un pâle sourire, et répondit :

— Et moi, je vous invite à mon tour.

— Je ne savais pas que je devais donner un dîner, déclara Alice ; mais, s'il en est ainsi, il me semble que c'est moi qui dois faire les invitations.

— Nous t'en avons donné l'occasion, déclara la Reine Rouge, mais sans doute n'as-tu pas pris beaucoup de leçons de politesse ?

— Ce n'est pas avec des leçons qu'on apprend la politesse, dit Alice. Les leçons, c'est pour apprendre à faire des opérations, et des choses de ce genre.

— Sais-tu faire une Addition ? demanda la Reine Blanche. Combien font un plus un plus un plus un plus un plus un plus un plus un plus un plus un ?

— Je ne sais pas, j'ai perdu le compte.

— Elle ne sait pas faire une Addition, dit la Reine Rouge. Sais-tu faire une Soustraction ? Ote neuf de huit.

— Je ne peux pas ôter neuf de huit, répondit vivement Alice ; mais...

— Elle ne sais pas faire une Soustraction, déclara la Reine Blanche. Sais-tu faire une Division ? Divise un pain par un couteau... qu'est-ce que tu obtiens ?

— Je suppose...., commença Alice. Mais la Reine répondit pour elle :

— Des tartines beurrées, naturellement. Essaie une autre Soustraction. Ote un os d'un chien : que reste-t-il ?

Alice réfléchit :

— L'os ne resterait pas, bien sûr, si je le prenais... et le chien ne resterait pas, il viendrait me mordre... et je suis sûre que, moi, je ne resterais pas !

— Donc, tu penses qu'il ne resterait rien ? demanda la Reine Rouge.

— Oui, je crois que c'est la Réponse.

— Tu te trompes, comme d'habitude ; il resterait la patience du chien.

— Mais je ne vois pas comment...

— Voyons, écoute-moi ! s'écria la Reine Rouge. Le chien perdrait patience, n'est-ce pas ?

— Oui, peut-être, dit Alice prudemment.

— Eh bien, si le chien s'en allait, sa patience resterait ! s'exclama la Reine.

Alice fit alors observer d'un ton aussi sérieux que possible :

— Ils pourraient aussi bien s'en aller chacun de leur côté.

Mais elle ne put s'empêcher de penser : « Quelles bêtises nous disons ! »

— Elle est absolument incapable de faire des opérations ! s'exclamèrent les deux Reines en même temps d'une voix forte.

— Et vous, savez-vous faire des opérations ? demanda Alice en se tournant brusquement vers la Reine Blanche, car elle n'aimait pas être prise en défaut.

La Reine ouvrit la bouche comme si elle suffoquait, et ferma les yeux.

— Je suis capable de faire une Addition si on me donne assez de temps, déclara-t-elle, mais je suis absolument incapable de faire une Soustraction !

— Naturellement, tu sais ton Alphabet ? dit la Reine Rouge.

— Bien sûr que je le sais !

— Moi aussi, murmura la Reine Blanche. Nous le réciterons souvent ensemble, ma chère petite. Et je vais te dire un secret... je sais lire les mots d'une lettre ! N'est-ce pas magnifique ? Mais, ne te décourage pas : tu y arriveras, toi aussi, au bout de quelque temps.

Ici, la Reine Rouge intervint de nouveau.

— Es-tu forte en leçons de choses ? demanda-t-elle. Comment fait-on le pain ?

— Ça, je le sais ! s'écria vivement Alice. On prend de la fleur de farine...

— Où est-ce qu'on cueille cette fleur ? demanda la Reine Blanche. Dans un jardin, ou sous les haies ?

— Mais, on ne la cueille pas du tout, expliqua Alice ; on la moud...

— Moût de raisin ou mou de veau ? dit la Reine Blanche. Tu oublie toujours des détails importants[o].

— Eventons-lui la tête ! intervint la Reine Rouge d'une voix anxieuse. Elle va avoir la fièvre à force de réfléchir tellement.

Sur quoi, les deux Reines se mirent à la besogne et l'éventèrent avec des poignées de feuilles, jusqu'à ce qu'elle fût obligée de les prier de s'arrêter, parce que cela lui faisait voler les cheveux dans tous les sens.

— Elle est remise, à présent, déclara la Reine Rouge. Connais-tu les Langues Etrangères ? Comment dit-on « Turlututu » en allemand ?

— « Turlututu » n'est pas un mot anglais, répondit Alice très sérieusement.

— Qui a dit que c'en était un ? demanda la Reine Rouge.

Alice crut avoir trouvé un moyen de se tirer d'embarras :

— Si vous me dites à quelle langue appartient le mot « turlututu », je vous dirai comment il se dit en allemand ! s'exclama-t-elle d'un ton de triomphe.

Mais la Reine Rouge se redressa raidement de toute sa hauteur en déclarant :

— Les Reines ne font jamais de marché.

« Je voudrais bien que les Reines ne posent jamais de questions », pensa Alice.

— Ne nous disputons pas, dit la Reine Blanche d'une voix anxieuse. Quelle est la cause de l'éclair ?

— La cause de l'éclair, commença Alice d'un ton décidé, car elle se sentait très sûre d'elle, c'est le tonnerre... Non, non ! ajouta-t-elle vivement pour se corriger, je voulais dire le contraire.

— Trop tard, déclara la Reine Rouge ; une fois que tu as dit quelque chose, c'est définitif, et il faut que tu en subisses les conséquences.

— Cela me rappelle..., commença la Reine Blanche en baissant les yeux et en croisant et décroisant les mains nerveusement, que nous avons eu un orage épouvantable mardi dernier... je veux dire pendant un de nos derniers groupes de mardis.

— Dans mon pays à moi, fit observer Alice, il n'y a qu'un jour à la fois.

La Reine Rouge répondit :

— Voilà une façon bien mesquine de faire les choses. Ici, vois-tu, les jours et les nuits vont par deux ou par trois à la fois ; et même, en hiver, il nous arrive d'avoir cinq nuits de suite... pour avoir plus chaud, vois-tu.

— Est-ce que cinq nuits sont plus chaudes ? se risqua à demander Alice.

— Bien sûr, cinq fois plus chaudes.

— Mais, en ce cas, elles devraient être aussi cinq fois plus froides...

— Tout à fait exact ! s'écria la Reine Rouge. Cinq fois plus chaudes, *et aussi* cinq fois plus froides ; de même que je suis cinq fois plus riche que toi, *et aussi* cinq fois plus intelligente !

Alice soupira, et renonça à continuer la discussion. « Ça ressemble tout à fait à une devinette qui n'aurait pas de réponse ! » pensa-t-elle.

— Le Gros Coco l'a entendu, lui aussi, continua la Reine Blanche à voix basse, comme si elle se parlait à elle-même. Il est venu à la porte un tire-bouchon à la main...

— Pourquoi faire ? demanda la Reine Rouge.

— Il a dit qu'il voulait entrer à toute force parce qu'il cherchait un hippopotame. Or, il se trouvait qu'il n'y avait rien de pareil dans la maison ce matin-là.

— Y a-t-il des hippopotames chez vous d'habitude ? demanda Alice d'un ton surpris.

— Ma foi, le jeudi seulement, répondit la Reine.

— Je sais pourquoi le Gros Coco est venu vous voir, dit Alice. Il voulait punir les poissons, parce que...

A ce moment, la Reine Blanche reprit :

— Tu ne peux pas t'imaginer quel orage effroyable ç'a été ! Le vent a arraché une partie du toit, et il est entré un gros morceau de tonnerre... qui s'est mis à rouler dans toute la pièce... et à renverser les tables et les objets !... J'ai eu si peur que j'étais incapable de me rappeler mon nom !

« Jamais je n'essaierais de me rappeler mon nom au milieu d'un accident ! A quoi cela pourrait-il bien servir ? » pensa Alice ; mais elle se garda bien de dire cela à haute voix, de peur de froisser la pauvre Reine.

— Que Votre Majesté veuille bien l'excuser, dit la Reine Rouge à Alice, en prenant une des mains de la Reine Blanche dans les siennes et en la tapotant doucement. Elle est pleine de bonne volonté, mais, en général, elle ne peut s'empêcher de raconter des bêtises.

La Reine Blanche regarda timidement Alice ; celle-ci sentit qu'elle devait absolument dire quelque chose de gentil, mais elle ne put rien trouver.

— Elle n'a jamais été très bien élevée, continua la Reine Rouge. Pourtant elle a un caractère d'une douceur angélique ! Tapote-lui la tête, et tu verras comme elle sera contente !

Mais Alice n'eut pas ce courage.

— Il suffit de lui témoigner un peu de bonté et de lui mettre les cheveux en papillotes, pour faire d'elle tout ce qu'on veut...

La Reine Blanche poussa un profond soupir et posa sa tête sur l'épaule d'Alice.

— J'ai terriblement sommeil ! gémit-elle.

— La pauvre, elle est fatiguée ! s'exclama la Reine Rouge. Lisse-lui les cheveux... prête-lui ton bonnet de nuit... et chante-lui une berceuse.

— Je n'ai pas de bonnet de nuit sur moi, dit Alice en essayant d'obéir à la première partie de ces instructions, et je ne connais pas de berceuse.

— En ce cas, je vais en chanter une moi-même, déclara la Reine Rouge.

Et elle commença en ces termes :

Reine, faites dodo sur les genoux d'Alice.
Avant de vous asseoir à table avec délice ;
Le repas terminé, nous partirons au bal,
Et danserons avec un plaisir sans égal !

— Maintenant que tu connais les paroles, ajouta-t-elle en posant sa tête sur l'autre épaule d'Alice, chante-la moi, à mon tour, car, moi aussi, j'ai très sommeil.

Un instant plus tard les deux Reines dormaient profondément et ronflaient tant qu'elles pouvaient.

« Que dois-je faire ? » s'exclama Alice, en regardant autour d'elle d'un air perplexe, tandis que l'une des deux têtes rondes, puis l'autre, roulaient de ses épaules pour tomber comme deux lourdes masses sur ses genoux. « Je crois qu'il n'est jamais arrivé à personne d'avoir à prendre soin de deux Reines endormies en même temps ! Non, jamais, dans toute l'histoire d'Angleterre... D'ailleurs, ça n'aurait pas pu arriver, puisqu'il n'y a jamais eu

plus d'une Reine à la fois... Réveillez-vous donc,
vous autres !... Ce qu'elles sont lourdes ! » continua-t-elle d'un ton impatienté. Mais elle n'obtint
pas d'autre réponse qu'un léger ronflement.

Peu à peu, le ronflement devint de plus en plus
net et ressembla de plus en plus à un air de
musique. Finalement, elle parvint même à distinguer des mots, et elle se mit à écouter si attentivement que, lorsque les deux grosses têtes s'évanoui-
rent brusquement de sur ses genoux, c'est tout juste
si elle s'en aperçut.

Elle se trouvait à présent debout devant un
porche voûté. Au-dessus de la porte se trouvaient
les mots : REINE ALICE en grosses lettres, et, de
chaque côté, il y avait une poignée de sonnette ;
l'une était marquée : « Sonnette des Visiteurs »,
l'autre : « Sonnette des Domestiques ».

« Je vais attendre la fin de la chanson, pensa
Alice, et puis je tirerai la... la... Mais, au fait, quelle

sonnette faut-il que je tire ? » continua-t-elle, fort intriguée. « Je ne suis pas une visiteuse et je ne suis pas une domestique. Il devrait y avoir une poignée de sonnette marquée « Reine »...

Juste à ce moment, la porte s'entrebâilla légèrement. Une créature pourvue d'un long bec passa la tête par l'ouverture, dit : « Défense d'entrer avant deux semaines ! » puis referma la porte avec fracas.

Alice frappa et sonna en vain pendant longtemps. A la fin, une très vieille grenouille assise sous un arbre se leva et vint vers elle en clopinant ; elle portait un habit d'un jaune éclatant et d'énormes bottes.

— Quoi que vous voulez ? murmura la Grenouille d'une voix grave et enrouée.

Alice se retourna, prête à réprimander la première personne qui se présenterait.

— Où est le domestique chargé de répondre à cette porte ? commença-t-elle.

— Quelle porte ? demanda la Grenouille.

Elle parlait si lentement, d'une voix si traînante, qu'Alice, tout irritée, faillit frapper du pied sur le sol.

— Cette porte-là, bien sûr !

La Grenouille regarda la porte de ses grands yeux ternes pendant une bonne minute ; puis elle s'en approcha et la frotta de son pouce comme pour voir si la peinture s'en détacherait ; puis, elle regarda Alice.

— Répondre à la porte ? dit-elle. Quoi c'est-y qu'elle a demandé ? (Elle était si enrouée que c'est tout juste si la fillette pouvait l'entendre.)

— Je ne comprends pas ce que vous voulez dire,
déclara Alice.

— Ben, quoi, j'vous cause pas en chinois, pas ?
continua la Grenouille. Ou c'est-y, des fois,
qu'vous seriez sourde ? Quoi qu'elle vous a
demandé, c'te porte ?

— Rien ! s'écria Alice, impatientée. Voilà un
moment que je tape dessus !

— Faut pas faire ça... faut pas, murmura la Grenouille. Parce que ça la contrarie, pour sûr.

Là-dessus, elle se leva et alla donner à la porte
un grand coup de pied.

— Faut lui ficher la paix, dit-elle, toute haletante, en regagnant son arbre clopin-clopant ; et alors, elle vous fichera la paix à vous.

A ce moment la porte s'ouvrit toute grande, et on entendit une voix aiguë qui chantait :

Au peuple du Miroir Alice a déclaré :
« Je tiens le sceptre en main, j'ai le chef couronné,
Asseyez-vous à table, ô sujets du Miroir ;
Les deux Reines et moi vous invitons ce soir ! »

Puis des centaines de voix entonnèrent en chœur le refrain :

Qu'on emplisse les verres, au bruit des chansons !
Qu'on saupoudre la table et de terre et de son !
Mettez des chats dans l'huile et des rats dans le thé.
Vingt fois deux fois bienvenue Votre Majesté !

On entendit ensuite des acclamations confuses, et Alice pensa : « Vingt fois deux font quarante. Je me demande si quelqu'un tient le compte des acclamations. »

Au bout d'une minute, le silence se rétablit, et la même voix aiguë chanta un second couplet :

« Ô sujets du Miroir, dit Alice, approchez !
C'est un très grand honneur que de me contempler.
Ainsi que de manger et de boire à la fois,
Avec les Reines Rouge et Blanche et avec moi ! »

Qu'on emplisse les verres avec du goudron,
Ou avec tout ce qui pourra paraître bon ;

Mêlez du sable au vin, de la laine au poiré...
Cent fois dix fois bienvenue Votre Majesté !

« Cent fois dix ! répéta Alice, désespérée. Oh, mais ça n'en finira jamais ! Il vaut mieux que j'entre tout de suite. »

Là-dessus, elle entra, et, dès qu'elle fut entrée, un silence de mort régna.

Alice jeta un coup d'œil craintif sur la table tout en traversant la grand-salle, et elle remarqua qu'il y avait environ cinquante invités de toute espèce : certains étaient des animaux, d'autres, des oiseaux ; il y avait même quelques fleurs. « Je suis bien contente qu'ils soient venus sans attendre que je le leur demande, pensa-t-elle, car je n'aurais jamais su qui il fallait inviter ! »

Trois chaises se trouvaient au haut bout de la table ; la Reine Rouge et la Reine Blanche en occupaient chacune une, mais celle du milieu était vide. Alice s'assit, un peu gênée par le silence, puis elle attendit impatiemment que quelqu'un prît la parole.

Finalement, la Reine Rouge commença :

— Tu as manqué la soupe et le poisson, dit-elle. Qu'on serve le gigot !

Et les domestiques placèrent un gigot de mouton devant Alice, qui le regarda d'un air anxieux car elle n'en avait jamais découpé auparavant.

— Tu as l'air un peu intimidée, permets-moi de te présenter à ce gigot de mouton, dit la Reine Rouge. Alice... Mouton ; Mouton... Alice.

Le gigot de mouton se leva dans le plat et s'inclina devant Alice, qui lui rendit son salut en se

demandant si elle devait rire ou avoir peur.

— Puis-je vous en donner une tranche ? demanda-t-elle en saisissant le couteau et la fourchette, et en regardant d'abord une Reine, puis l'autre.

— Certainement pas, répondit la Reine Rouge d'un ton péremptoire. Il est contraire à l'étiquette de découper quelqu'un à qui l'on a été présenté. Qu'on enlève le gigot !

Les domestiques le retirèrent et apportèrent à la place un énorme plum-pudding.

— S'il vous plaît, je ne veux pas être présentée au pudding, dit Alice vivement ; sans quoi nous n'aurons pas de dîner du tout. Puis-je vous en donner un morceau ?

Mais la Reine Rouge prit un air maussade et grommela :

— Pudding... Alice ; Alice... Pudding. Qu'on enlève le pudding !

Et les domestiques l'enlevèrent avant qu'Alice eût le temps de lui rendre son salut.

Néanmoins, comme elle ne voyait pas pourquoi la Reine Rouge serait la seule à donner des ordres, elle décida de tenter une expérience et s'écria :

— Qu'on rapporte le pudding !

Aussitôt le pudding se trouva de nouveau devant elle, comme par un tour de prestidigitation. Il était si gros qu'elle ne put s'empêcher de se sentir un peu intimidée devant lui comme elle l'avait été devant le gigot de mouton. Néanmoins, elle fit un grand effort pour surmonter sa timidité et tendit un morceau de pudding à la Reine Rouge.

— Quelle impertinence ! s'exclama le pudding. Je me demande ce que tu dirais si je coupais une tranche de toi, espèce de créature !

Alice resta à le regarder, la bouche ouverte.

— Dis quelque chose, fit observer la Reine Rouge. C'est ridicule de laisser le pudding faire tous les frais de la conversation !

— Je vais vous dire quelque chose, commença Alice, un peu effrayée de constater que, dès qu'elle eut ouvert la bouche, il se fit un silence de mort tandis que tous les yeux se fixaient sur elle. On m'a récité des quantités de poésies aujourd'hui, et ce qu'il y a de curieux, c'est que, dans chaque poésie, il était plus ou moins question de poissons. Savez-vous pourquoi on aime tant les poissons dans ce pays ?

Elle s'adressait à la Reine Rouge, qui répondit un peu à côté de la question.

— A propos de poissons, déclara-t-elle très lentement et solennellement en mettant sa bouche tout près de l'oreille d'Alice. Sa Majesté Blanche connaît une devinette délicieuse... toute en vers... et où il n'est question que de poissons. Veux-tu qu'elle te la dise ?

— Sa Majesté Rouge est trop bonne de parler de cela, murmura la Reine Blanche à l'autre oreille d'Alice, d'une voix aussi douce que le roucoulement d'un pigeon. Ce serait un si grand plaisir pour moi. Puis-je dire ma devinette ?

— Je vous en prie, dit Alice très poliment.

La Reine Blanche eut un rire ravi et tapota la joue de la fillette. Puis elle commença :

« D'abord, faut prendre le poisson. »
C'est facile : un enfant, je crois, pourrait le prendre.
« Puis, faut l'acheter, mon garçon. »
C'est facile : à deux sous on voudra me le vendre.

« Cuisez le poisson à présent ! »
C'est facile : il cuira en moins d'une minute.
« Mettez le dans un plat d'argent ! »
C'est facile, ma foi ; j'y arrive sans lutte.

« Que le plat me soit apporté ! »
C'est facile de mettre le plat sur la table.
« Que le couvercle soit ôté ! »
Ah ! c'est trop dur, et j'en suis incapable !

Car le poisson le tient collé,
Le tient collé au plat, la chose paraît nette ;
Lequel des deux est plus aisé :
Découvrir le poisson ou bien la devinette ?

— Réfléchis une minute et puis devine, dit la Reine Rouge. En attendant, nous allons boire à ta santé... A la santé de la Reine Alice ! hurla-t-elle de toutes ses forces.

Tous les invités se mirent immédiatement à boire à sa santé. Ils s'y prirent d'une façon très bizarre :

certains posèrent leur verre renversé sur leur tête, comme un éteignoir, et avalèrent tout ce qui dégoulinait sur leur visage... d'autres renversèrent les carafes et burent le vin qui coulait des bords de la table... et trois d'entre eux (qui ressemblaient à des kangourous) grimpèrent dans le plat du gigot et se mirent à laper la sauce, « exactement comme des cochons dans une auge », pensa Alice.

— Tu devrais remercier par un discours bien tourné, déclara la Reine Rouge en regardant Alice, les sourcils froncés.

— Il faut que nous te soutenions, murmura la Reine Blanche au moment où Alice se levait très docilement, mais avec une certaine appréhension, pour prendre la parole.

— Je vous remercie beaucoup, répondit Alice à voix basse ; mais je n'ai pas du tout besoin d'être soutenue.

— Impossible ; cela ne se fait pas, dit la Reine Rouge d'un ton péremptoire.

Et Alice essaya de se soumettre de bonne grâce à cette cérémonie.

(« Elles me serraient si fort, dit-elle plus tard, en racontant à sa sœur l'histoire du festin, qu'on aurait cru qu'elles voulaient m'aplatir comme une galette ! »)

En fait, il lui fut très difficile de rester à sa place pendant qu'elle s'apprêtait à faire son discours : les deux Reines la poussaient tellement, chacune de son côté, qu'elles faillirent la projeter dans les airs.

— Je me lève pour remercier..., commença-t-elle.

Et elle se leva en effet plus qu'elle ne s'y attendait, car elle monta de quelques centimètres au-dessus du plancher ; mais elle s'accrocha au bord de la table et parvint à redescendre.

— Prends garde à toi ! cria la Reine Blanche, en lui saisissant les cheveux à deux mains. Il va se passer quelque chose !

A ce moment (du moins c'est ce qu'Alice raconta par la suite), toutes sortes de choses se passèrent à la fois. Les bougies montèrent jusqu'au plafond, où elles prirent l'aspect de joncs surmontés d'un feu d'artifice. Quant aux bouteilles, chacune d'elles s'empara d'une paire d'assiettes qu'elles s'ajustèrent en manière d'ailes ; puis, après s'être munies de fourchettes en guise de pattes, elles se mirent à voleter dans tous les sens.

« Et elles ressemblent étonnamment à des oiseaux, » pensa Alice, au milieu de l'effroyable désordre qui commençait.

Brusquement, elle entendit un rire enroué à côté d'elle. Elle se retourna pour voir ce qu'avait la Reine Blanche à rire de la sorte ; mais, au lieu de la Reine, c'était le gigot qui se trouvait sur la chaise...

« Me voici ! » cria une voix qui venait de la soupière, et Alice se retourna de nouveau juste à temps pour voir le large et affable visage de la Reine lui sourire, l'espace d'une seconde, au-dessus du bord de la soupière, avant de disparaître dans la soupe.

Il n'y avait pas une minute à perdre. Déjà plusieurs des invités gisaient dans les plats, et la louche marchait sur la table dans la direction d'Alice, en lui faisant signe de s'écarter de son chemin.

— Je ne peux plus supporter ça ! s'écia-t-elle en saisissant la nappe à deux mains.

Elle tira un bon coup, et assiettes, plats, invités, bougies, s'écroulèrent avec fracas sur le plancher.

— Quant à vous, continua-t-elle, en se tournant d'un air furieux vers la Reine Rouge qu'elle jugeait être la cause de tout le mal...

Mais la Reine n'était plus à côté d'Alice... Elle avait brusquement rapetissé jusqu'à la taille d'une petite poupée, et elle se trouvait à présent sur la table, en train de courir joyeusement en cercles à la poursuite de son châle qui flottait derrière elle.

A tout autre moment, Alice en aurait été surprise ; mais elle était beaucoup trop surexcitée pour s'étonner de quoi que ce fût.

— Quant à vous, répéta-t-elle, en saisissant la petite créature au moment précis où elle sautait par-dessus une bouteille qui venait de se poser sur la table, je vais vous secouer jusqu'a ce que vous transformiez en chatte, vous n'y couperez pas !

Chapitre 10
Secouement

Elle la souleva de sur la table tout en parlant, et la secoua d'avant en arrière de toutes ses forces.

La Reine Rouge n'opposa pas la moindre résistance ; son visage se rapetissa, ses yeux s'agrandirent et devinrent verts, puis, tandis qu'Alice continuait à la secouer, elle n'arrêta pas de se faire plus courte... et plus grasse... et plus douce... et plus ronde... et...

Chapitre 11
Réveil

   ... et, finalement, c'était bel et bien une petite chatte noire.

Chapitre 12
Qui a rêvé ?

« Votre Majesté Rouge ne devrait pas ronronner si fort », dit Alice, en se frottant les yeux et en s'adressant à la chatte d'une voix respectueuse mais empreinte d'une certaine sévérité. « Tu viens de me réveiller de... oh ! d'un si joli rêve ! Et tu es restée avec moi tout le temps, Kitty... d'un bout à l'autre du Pays du Miroir. Le savais-tu, ma chérie ? »

Les chattes (Alice en avait déjà fait la remarque) ont une très mauvaise habitude : quoi qu'on leur dise, elles ronronnent toujours pour vous répondre. « Si seulement elles ronronnaient pour dire « oui » et miaulaient pour dire « non », ou si elles suivaient une règle de ce genre, de façon qu'on puisse faire la conversation avec elles ! » avait-elle dit. « Mais comment peut-on parler avec quelqu'un qui répond toujours pareil ? »

En cette circonstance, la chatte noire se contenta de ronronner ; et il fut impossible de deviner si elle voulait dire « oui » ou « non ».

Aussi Alice se mit-elle à chercher parmi les pièces d'échecs sur la table jusqu'à ce qu'elle eût retrouvé la **Reine Rouge** ; alors, elle s'agenouilla sur la carpette, devant le feu, et plaça la chatte noire et la Reine face à face. « Allons, Kitty ! s'écria-t-elle, en tapant des mains d'un air triomphant, tu es bien obligée d'avouer que tu t'es changée en Reine ! »

(« Mais elle a refusé de regarder la Reine, expliqua-t-elle plus tard à sa sœur ; elle a détourné la tête en faisant semblant de ne pas la voir. Pourtant, elle a eu l'air un peu honteux, de sorte que je crois que c'est bien Kitty qui était la Reine Rouge. »)

« Tiens-toi un peu plus droite, ma chérie ! s'écria Alice en riant gaiement. Et fais la révérence pendant que tu réfléchis à ce que tu vas... à ce que tu vas ronronner. Rappelle-toi que ça fait gagner du temps ! »

Là-dessus, elle prit Kitty dans ses bras et lui donna un petit baiser, « pour te féliciter d'avoir été une Reine Rouge, vois-tu ! »

« Perce-Neige, ma chérie, continua-t-elle, en regardant par-dessus son épaule la Reine Blanche qui subissait toujours aussi patiemment la toilette que lui faisait la vieille chatte, je me demande quand est-ce que Dinah en aura fini avec Votre Majesté Blanche ? C'est sans doute pour ça que tu étais si sale dans mon rêve... Dinah ! sais-tu que tu débarbouilles une Reine Blanche ? Vraiment, tu fais preuve d'un grand manque de respect, et ça me surprend de ta part !

« Et en quoi Dinah a-t-elle bien pu se changer ? continua-t-elle, en s'étendant confortablement, appuyée sur un coude, pour mieux regarder les chattes. Dis-moi, Dinah, est-ce que tu es devenue le Gros Coco ? Ma foi, je le crois ; mais tu feras bien de ne pas en parler à tes amis, car je n'en suis pas très sûre.

« A propos, Kitty, si tu avais été vraiment avec moi dans mon rêve, il y a une chose qui t'aurait plu énormément : on m'a récité des tas de poésies, et toutes parlaient de poisson ! Demain, ce sera une vraie fête pour toi : pendant que tu prendras ton petit déjeuner, je te réciterai : "Le Morse et le Charpentier, et tu pourras faire semblant que tu manges des huîtres !

« Voyons, Kitty, réfléchissons un peu à une chose : qui a rêvé tout cela ? C'est une question très importante, ma chérie ; et tu ne devrais pas continuer à te lécher la patte comme tu le fais... comme si Dinah ne t'avait pas lavée ce matin ! Vois-tu, Kittty, il faut que ce soit moi ou le Roi Rouge. Bien sûr, il faisait partie de mon rêve... mais, d'un autre côté, moi, je faisais partie de son rêve à lui ! Est-ce le Roi Rouge qui a rêvé, Kitty ? Tu dois le savoir, puisque tu étais sa femme... Oh, Kitty, je t'en prie, aide-moi à régler cette question ! Je suis sûre que ta patte peut attendre ! »

Mais l'exaspérante petite chatte se contenta de se mettre à lécher son autre patte, et fit semblant de ne pas avoir entendu la question.

Et vous, mes enfants, qui croyez-vous que c'était ?

Un bateau, sous un ciel d'été,
Sur l'eau calme s'est attardé,
Par un après-midi doré...

Trois enfants, près de moi blottis,
Les yeux brillants, le cœur ravi,
Ecoutent un simple récit...

Ce jour a fui depuis longtemps.
Morts sont les souvenirs d'antan.
Dispersés au souffle du vent,

Sauf le fantôme radieux
D'Alice, qui va sous les cieux
Que le rêve ouvrit à ses yeux.

Je vois d'autres enfants blottis,
Les yeux brillants, le cœur ravi,
Prêter l'oreille à ce récit.

Ils sont au Pays Enchanté,
De rêves leurs jours sont peuplés,
Tandis que meurent les étés.

Sur l'eau calme voguant sans trêve...
Dans l'éclat du jour qui s'achève...
Qu'est notre vie, sinon un rêve ?

Notes

a. « *It says « Bough — wough ! » cried a Daisy : that's why its branches are called boughs ! »* (« Il dit : "Ouah — Ouah !" s'écria une Pâquerette : c'est pourquoi ses branches sont appelées rameaux ! »)

Le mot : « bough », qui signifie : « rameau », est également l'onomatopée qui prétend reproduire l'aboiement du chien. En fait, le jeu de mots de la Pâquerette est des plus mauvais : cela nous console de l'avoir remplacé par un à peu près exécrable.

b. « *It sounds like a horse* », *said Alice to herself. And an extremely small voice, close to her ear, said : « You might make a joke on that — something about « horse » and « hoarse »*.

(« On dirait la voix d'un cheval », pensa Alice. Et une toute petite voix, près de son oreille, dit : « Tu pourrais faire un jeu de mots à ce sujet, quelque chose sur « cheval » et sur « rauque ».)

Le substantif « *horse* » (cheval) et l'adjectif « *hoarse* » (rauque) se prononcent exactement de la même façon.

c. — « *I was in a wood just now, and I wish I could get back there* », *said Alice*.

— « *You might make a joke on that* », *said the little voice close to her ear : « something about : « you would if you could* ».

(« J'étais dans un bois il y a un instant, et je voudrais pouvoir y revenir ! dit Alice.

— Tu pourrais faire un jeu de mots à ce sujet », dit la petite voix tout près de son oreille ; quelque chose au sujet de "tu voudrais si tu pouvais". »

Les mots « *wood* » (bois) et « *would* » (passé et conditionnel du verbe « *will* » (vouloir) se prononcent exactement de la même façon.

Une traduction littérale étant inintelligible, nous avons dû intercaler la phrase : « Ces sièges sont durs comme du bois ! » pour obtenir un jeu de mots compréhensible en français.

d Le mot anglais qui désigne le taon : « *horse-fly* », signifie littéralement : « mouche à chevaux ». L'insecte dont parle le Moucheron s'appelle : « *rocking-horse-fly* » (mot à mot : « mouche à cheval à bascule »).

e. Une libellule, c'est, en anglais : « *a dragon-fly* » (littéralement : « mouche dragon »). Un brûlot, c'est : « *a snap-dragon* ». Il est donc facile au Moucheron de faire un jeu de mots, grâce à la présence de « *dragon* » dans les deux cas. (Le verbe : « *to snap* » signifie : « retirer d'un geste vif »).

f. Le mot anglais qui désigne le papillon : « *Butterfly* » signifie littéralement : « Mouche à beurre. » Le Moucheron n'a, par suite, aucun mal à inventer un insecte qui se nomme : « *Bread-and-butter-fly* » (Mouche à pain beurré).

g. — « *If she couldn't remember my name, she'd call me :* « *Miss !* » *as the servants do.* — « *Well, if she said :* « *Miss,* » *and didn't say anything more* », *the Gnat remarked,* « *of course you'd miss your lessons. That's a joke.* »

(« Si elle ne pouvait pas se rappeler mon nom, elle m'appelerait : "Mademoiselle !" comme font les domestiques. — Eh bien, si elle disait : "Mademoiselle", et ne disait rien d'autre, fit observer le Moucheron, bien sûr, tu manquerais tes leçons. C'est un jeu de mots. »)

« *Miss* » comme chacun sait, signifie : « mademoiselle ». Le verbe : « *to miss* », signifie : « manquer ». D'où un jeu de mots impossible littéralement.

h. Le chapitre s'intitule en anglais :

« TWEEDLEDUM AND TWEEDLEDEE ». Ces deux mots s'emploient pour indiquer une distinction de sens aussi insignifiante que possible. En d'autres termes, ils sont la réplique exacte de l'expression française : « bonnet blanc et blanc bonnet ». D'ailleurs, si le témoignage du dictionnaire ne suffisait pas, le texte même de Lewis Carroll prouve bien qu'il n'y a pas d'autre interprétation possible : le costume absolument semblable des jumeaux qui ne se distinguent l'un de l'autre que par leur col brodé ; leurs formules favorites : « en aucune façon », et : « tout au contraire » ; enfin, dans le chapitre précédent les deux écriteaux qui portent exactement la même inscription disposée de façon différente. En conséquence, nous avons cru pouvoir rompre avec la longue tradition qui veut que le traducteur conserve les deux mots anglais. Il n'y a, à notre avis, aucune raison de renoncer à employer l'expression française correspondante.

i. *So she began rather timidly : « Am I addressing the White Queen ? »*
— « Well, yes, if you call that a-dressing », the Queen said. « It isn't my notion of the thing at all ».
(Aussi commença-t-elle assez timidement : « Est-ce que je m'adresse à la Reine Blanche ? — Ma foi, oui, si tu appelles ça habiller, dit la Reine. Ce n'est pas du tout ainsi que, moi, je conçois la chose. »)
Ici, l'absurdité d'une traduction intégrale apparaît flagrante. Il nous a donc fallu modifier entièrement tout ce début de conversation.
Dans le texte anglais, Alice emploie le verbe : « *to address* » (s'adresser à). Comme le verbe : « *to dress* » signifie « habiller » — (« *a-dressing* » étant une forme archaïque du participe présent de : « *to dress* », obtenue par l'adjonction d'un préfixe) — la confusion de la Reine s'explique très facilement.

j. *— « I am seven and a half exactly. » — « You needn't say « exactually » the Queen remarked. I believe you. »* (« J'ai sept ans et demi exactement.
— Tu n'as pas besoin de dire "exactuellement", fit observer la Reine. Je te crois. ») Il y a ici une nuance qu'il est impossible de rendre. Le mot « *exactually* » forgé par la Reine, est une combinaison des deux adverbes « *exactly* » (exactement), et : « *actually* » (véritablement, réellement). Ce qui légitime la phrase suivante : « Je te crois ».

k. *— Oh, much better ! cried the Queen... « Much be-etter ! Be-etter ! Be-e-e-etter ! — Be-e-ehh ! ».*
(« Oh, beaucoup mieux ! cria la Reine... Beaucoup mi-eux ! Mi-i-eux ! Mi-i-i-eux ! Mi-i-ih ! ».)
Comme on le voit, ceci ne donne rien en français. Nous

obtenons tout au plus un miaulement et non un bêlement. D'où la nécessité d'ajouter au texte le mot : « ma belle » qui permet une déformation semblable à celle de « *better* ».

l. Le titre anglais : « HUMPTY DUMPTY », pose un problème plus délicat que celui de « TWEEDLEDUM AND TWEEDLEDEE ». En effet il ne s'agit plus cette fois-ci d'une expression courante de la langue anglaise. « *Humpty Dumpty* » est un personnage mythique qui appartient au folklore des « nurseries ». Il est petit et gros, et ressemble beaucoup à un œuf. En fait, les enfants anglais emploient assez souvent cette expression pour désigner un œuf. C'est pourquoi nous nous sommes décidé à traduire par : « Le Gros Coco ». Il convient de signaler qu'une traduction admirable de « *Humpty Dumpty* » a été trouvée par Antonin Artaud qui donne à ce personnage le nom de « Dodu-Mafflu ». (Cf. la revue « Arbalète », nº 12, « l'arve et l'aume », tentative antigrammaticale contre Lewis Carroll.)

m. Le texte anglais est le suivant :
« *I feed him with — with — with Ham-sandwiches and Hay.* »
(« Je le nourris de... de... de Sandwiches au jambon et de Foin. »)
Mais, pour jouer le jeu, il fallait bien des mots commençant par H ; d'où le Hachis et l'Herbe.

n. — « *I was as fast as— as lightning, you know.* » — « *But that's a different kind of fastness* », *Alice objected* ».
(« J'étais aussi solidement coincé que... qu'un éclair. »
— Mais ça n'est pas le même genre de solidité », objecta Alice.)
L'adjectif « *fast* » signifie à la fois : « rapide », et : « ferme, solidement fixé ».

o. — « *Well, it isn't picked at all* » *Alice explained* ; « *it's ground* ».
— « *How many acres of ground ?* » *said the White Queen. « You mustn't leave out so many things* ».
(« Mais on ne la cueille pas du tout, expliqua Alice : elle est moulue. — Combien d'arpents de sol ? dit la Reine Blanche. Tu ne dois pas omettre tant de choses. »)
Encore une traduction impossible ; le mot : « ground » est à la fois le participe passé du verbe : « *to grind* » (moudre) et un substantif qui signifie : « sol, terrain ».

Table

*Achevé d'imprimer
le 12 août 1983
sur les presses de
l'Imprimerie Hérissey
à Évreux (Eure)*

N° d'imprimeur : 32604
*Dépôt légal : août 1983
1er dépôt légal dans la même collection : septembre 1980
ISBN 2-07-033151-2
Imprimé en France*